LE CHEMIN

Collection dirigée par Georges Lambrichs

OLGA BERNAL, *1929*

Alain Robbe-Grillet:

le roman de l'absence

nrf

GALLIMARD

A Madame Vera Bryce Salomons

INTRODUCTION

> *Du moment que le doute est apparu, je ne peux
> faire autrement que de chercher plus loin* [1].

Le doute méthodique est à l'origine du roman de
Robbe-Grillet. Le radicalisme de ce doute, le ton
des essais théoriques de Robbe-Grillet cherchent,
dirait-on, à transformer la littérature qui le précède en un immense Moyen Age dépassé, et à instau-
rer, non pas une Renaissance, mais une véritable
naissance sans héritage.

Jamais le roman ne s'est soulevé contre lui-même
aussi radicalement que le fait le roman de Robbe-
Grillet. Tout son effort est une dénonciation, une
négation de soi. Le péché originel du roman n'est
plus *La Princesse de Clèves*, c'est le roman en général qui éclate comme imposture. C'est dans une
perspective européenne qu'il faudrait étudier le
roman de Robbe-Grillet; l'image de l'homme qui s'y
défait est l'image que s'en est faite le roman occidental. On pense au roman en général, et non seulement au roman français, devant une critique qui
vise, non pas une autorité limitée, des conventions

---

1. Alain Robbe-Grillet, « Nature, humanisme, tragédie » (*La Nouvelle Revue Française*, octobre 1958, p. 604).

extérieures, mais qui met en cause le mythe de
l'humain tel, au moins, qu'il a été formé par la culture gréco-chrétienne. « Nature, humanisme, tragédie », tel est le titre d'un essai de Robbe-Grillet,
essai qui semble dériver toute la littérature de ces
trois mythes. Mythes qui se dégraderont ici en
simples fables littéraires et le dessein de Robbe-
Grillet sera d'en déposséder le roman.

Libérer l'homme « des vieux mythes de la profondeur » est un des projets les plus tenaces de
Robbe-Grillet. La destruction de ces mythes serait
une thérapeutique destinée à corriger, à guérir
l'homme de ces images de tragédie et de malheur.
« L'homme est un animal malade », le laisser per-
sévérer dans ces croyances, c'est l'enfermer dans sa
conscience malheureuse. La tragédie, la conscience
malheureuse sont des notions sans lesquelles toute
une littérature est inconcevable. Le tragique, le
malheur, les concepts du drame deviennent ici des
idées de culture, des sentiments reçus.

> ... J'assure que ce malheur est situé *dans l'espace
> et le temps, comme tout malheur, comme toute chose
> en ce monde. J'assure que l'homme, un jour, s'en
> libérera. Mais je ne possède de cet avenir aucune
> preuve. Pour moi aussi, c'est un* pari. « L'homme
> *est un animal malade », écrivait Unamuno ; le pari
> consiste à penser qu'on peut le guérir, et que, dans
> ce cas, il serait inepte de l'enfermer dans son mal.
> Je n'ai rien à perdre. Ce pari, en tout état de cause,
> est le seul raisonnable* [1].

L'entreprise de Robbe-Grillet est-elle une entreprise solitaire, ou bien fait-elle partie d'une tendance
qu'expriment d'autres romanciers ? Il nous semble

---

1. « Nature, humanisme, tragédie », p. 604.

que le « nouveau roman » c'est le roman de Robbe-Grillet, et que lui seul est véritablement révolutionnaire. Les romans de Claude Simon et de Michel Butor ne manifestent pas de rupture véritable avec le passé. Chacun de leurs romans garde une part déterminante de l'héritage romanesque. Loin de se détourner du passé, Butor en éprouve, au contraire, la nostalgie. Son roman demeure un roman de la durée, d'une durée occidentale, composée de valeurs et de mythes culturels. Le roman de Claude Simon reste, lui aussi, un roman de la durée, de la durée qui fonde l'individu; le temps chez Claude Simon a gardé sa valeur classique en termes littéraires aussi bien qu'historiques. Seul, le roman de Nathalie Sarraute se laisse rapprocher de celui de Robbe-Grillet. Dans la mesure où, pour Nathalie Sarraute, l'homme moderne se saisit dans l'objet, il y a analogie entre ces deux romans. Mais dans la mesure où Nathalie Sarraute exploite l'objet pour une psychologie de l'homme somme toute traditionnelle, son roman retombe dans le passé.

Le roman de Robbe-Grillet n'est pourtant pas un produit solitaire. Il est impossible de ne pas remarquer sa parenté avec l'attitude phénoménologique en ce qui concerne la pensée philosophique moderne ainsi que son analogie avec la peinture moderne. En ce qui concerne l'art cinématographique, Robbe-Grillet y revient sans cesse pour en impliquer l'influence sur son roman. Si nous avons recours ici à ses activités, en somme étrangères au roman, nous ne le faisons que dans la mesure où nous espérons pouvoir ainsi situer ce roman profondément nouveau. En cherchant à découvrir les desseins des autres recherches, nous nous efforcerons de les comparer dans une perspective de recherches parallèles.

> *Tout état de conscience en général est, en lui-même, conscience de quelque chose [1]...*

Cette phrase devenue célèbre pourrait servir d'épigraphe à l'art contemporain. On sait l'importance que lui attache Sartre et, déjà en 1936, il écrit une véritable apologie de cette découverte de Husserl [2] dont il dit qu'elle était appelée à bouleverser la psychologie. Elle contient en germe l'effort qui se fait de nos jours pour expulser l'homme de son « for intérieur », pour le dépouiller de « sa vie intérieure ». Si tout état de conscience est conscience *de* quelque chose, l'homme est bien obligé de sortir de lui-même, de chercher le complément, l'objet de sa conscience dehors, dans le monde matériel auquel il est lié indissolublement. « Le désir qu'un enfant a d'une bicyclette, c'est déjà l'image nickelée des roues et du guidon [3] », dit Robbe-Grillet. La peinture contemporaine a supprimé l'intériorité illusionniste du tableau en se faisant sur un plan unique. En supprimant la perspective, la peinture moderne a supprimé le lieu du mythe et de la profondeur. L'espace de la profondeur picturale était un espace purement intérieur puisqu'il dépendait, pour sa mise en valeur, de l'activité culturelle du spectateur.

La tendance à la réduction phénoménologique est aujourd'hui reflétée dans toute recherche originale. Cette mise entre parenthèses, qui se pratique à notre époque spontanément, vise à libérer la conscience de tous ses « préjugés », de toutes ses présuppositions, de toutes ses fables pour lui permettre de saisir ce qui est « réel » pour l'homme d'aujourd'hui.

---

1. E. Husserl, *Méditations cartésiennes*, Paris, Librairie Philosophique J. Vrin, 1953, p. 28.

2. Notamment dans son essai : *L'Imagination*.

3. « Entretien » (*L'Express*, 8 octobre 1959).

Pour le phénoménologue, la mise entre parenthèses promet la vérité. « Notre ambition est précisément de découvrir un nouveau domaine scientifique, dont l'accès nous soit acquis *par la méthode même de mise entre parenthèses* [1]. » La mise hors circuit de tout ce que nous étions habitués à voir dans la peinture classique, l'absence de tous ces points de repère romanesques que nous constatons dans les romans de Robbe-Grillet nous font penser qu'il ne s'agit pas ici d'une mise en doute rhétorique des valeurs traditionnelles mais d'un effort radical pour retrouver l'aspect originaire des choses : « Il faut d'abord perdre le monde par l'epoché [réduction], pour le retrouver ensuite [2]. » « A la base de l'évolution du roman, il y a une crise métaphysique qui porte, à la fois, sur la notion de personne et sur celle de réalité [3]. » De quelque angle qu'on cherche à saisir les liens qui relient le roman de Robbe-Grillet à l'époque dont il fait partie, on est inévitablement ramené à l'attitude phénoménologique, qui est l'attitude dominante de la philosophie contemporaine. Dans sa *Phénoménologie de la perception*, Merleau-Ponty dit : « En lisant Husserl... plusieurs de nos contemporains ont eu le sentiment bien moins de rencontrer une philosophie nouvelle que de reconnaître ce qu'ils attendaient [4]. » Du point de vue qui nous intéresse, on pourrait dire qu'ils attendaient l'encouragement à cette nouvelle forme de réaction contre les idées et les valeurs traditionnelles qu'est la réduction phénoménologique. Cette mise entre

1. E. Husserl, *Idées*, Paris, trad. Ricœur, Gallimard, 1949, p. 102.
2. E. Husserl, *Méditations cartésiennes*, p. 134.
3. Gabriel Marcel, cité par René Tavernier *in* « Problèmes du roman » (*Confluences*, nos 21-24, 1943, p. 13).
4. Paris, Gallimard, 1945, p. II.

parenthèses aboutit dans l'art à une profonde rupture avec le passé.

Aux yeux des phénoménologues, la connaissance
véritable n'est pas possible aussi longtemps que la
pensée est un substrat de métaphysiques antérieures.
L'édifice de préjugés et de réflexes culturels d'une
vieille civilisation a si intégralement conditionné
l'homme qu'il n'est plus capable d'un regard naïf
sur les choses et sur lui-même, qu'il n'est plus en
mesure de retrouver l'aspect originel du monde. Pour
retrouver les « fondements derniers » des choses [1],
il est donc nécessaire de mettre hors valeur le montage culturel devenu seconde nature, de suspendre
l'attitude naturelle.

Les conséquences de la réduction phénoménologique sur l'image et l'écriture sont d'une portée
immense, incalculable. L'image robbegrilletienne est
une image épurée par une réduction rigoureuse et
c'est cette ascèse qui lui permet d'être image originaire. Dans l'attitude phénoménologique, dit Bachelard, « l'image poétique nouvelle — une simple
image! — devient... une origine absolue, une origine
de conscience [2] ».

La discipline phénoménologique, décrite par Gaston Bachelard comme un « drame journalier », un
« drame de culture [3] », est pratiquée depuis longtemps dans la peinture, dans celle, tout au moins,
dont Cézanne est reconnu comme le point de départ.
En ce qui concerne le roman, il y avait une véritable lacune, un temps historique mort que le roman
de Robbe-Grillet vient combler. C'est dans cet esprit

1. Husserl, *Méditations cartésiennes*, p. 134.
2. *La Poétique de la rêverie*, Paris, Presses Universitaires de
France, 1961, p. 1.
3. *La Poétique de l'espace*, Paris, Presses Universitaires de France,
1957, p. 226.

que Robbe-Grillet reproche à Sartre le langage analogique et anthropomorphique de *La Nausée* : « Tout
se passe... comme si Sartre — qui ne peut pourtant
pas être accusé d'essentialisme — avait, dans ce
livre du moins, porté à leurs plus hauts degrés les
idées de *nature* et de *tragédie* [1]. » Pour Robbe-
Grillet, le roman de Sartre demeure en deçà de la
pureté phénoménologique, de la mise hors valeur de
concepts essentialistes de « nature » et de « tragédie ». Le Sartre de certains essais critiques et
théoriques est, au contraire, très proche de l'esprit
de la présente génération : « Les puissantes arêtes
du monde étaient rongées par ces diligentes dias-
tases : assimilation, unification, identification. En
vain, les plus simples et les plus rudes parmi nous
cherchaient-ils quelque chose de solide, quelque
chose, enfin, qui ne fût pas l'esprit; ils ne rencon-
traient partout qu'un brouillard mou et si distingué:
eux-mêmes [2]. »

Dans le passage de Robbe-Grillet que nous jux-
taposons à celui de Sartre, Robbe-Grillet semble
reprendre, point par point, les dénonciations sar-
triennes :

> *Décrire les choses, en effet, c'est délibérément se
> placer à l'extérieur, en face de celles-ci. Il ne s'agit
> plus de se les approprier ni de rien reporter sur
> elles. Posées, au départ, comme n'étant pas l'homme,
> elles restent constamment hors d'atteinte et ne sont,
> à la fin, ni comprises dans une alliance naturelle,
> ni récupérées par une souffrance [3].*

Il y a vingt ans entre ces textes de Sartre et de
Robbe-Grillet. Pourtant, leurs critiques visent la

---

1. « Nature, humanisme, tragédie », p. 598.
2. « Une idée fondamentale de la phénoménologie de Husserl :
l'intentionnalité » (*Situations, I*, Paris, Gallimard, 1947, p. 31-32).
3. « Nature, humanisme, tragédie », p. 600.

même attitude solipsiste, la même tendance à orienter tout vers le sujet humain. C'est également en critique phénoménologique que Merleau-Ponty examine les vieilles habitudes de l'esprit européen :

> *Une philosophie phénoménologique ou existentielle se donne pour tâche, non pas d'expliquer le monde ou d'en découvrir « les conditions de possibilité », mais de formuler une expérience du monde, un contact avec le monde qui précède toute pensée sur le monde* [1].

> *C'est l'essai d'une description directe de notre expérience telle qu'elle est, et sans aucun égard à sa genèse psychologique et aux explications causales que le savant, l'historien ou le sociologue peuvent en fournir* [2].

Le parallélisme entre de tels textes, relevant de la philosophie contemporaine, et le dessein de Robbe-Grillet est frappant. La méthode phénoménologique « décrit », elle renonce à expliquer et à analyser. Expliquer et analyser, c'est conclure, c'est faire des constructions. Robbe-Grillet parle de son entreprise comme d'une entreprise de nettoyage à l'égard de la littérature traditionnelle qui cherche à englober l'univers entier dans un réseau de significations humaines :

> *Aussi rien ne doit-il être négligé dans l'entreprise de nettoyage. En y regardant de plus près, on s'aperçoit que les analogies anthropocentriques (mentales ou viscérales) ne doivent pas être mises seules en cause. Toutes les analogies sont aussi dangereuses* [3].

> *A chaque instant des franges de culture (psychologie, morale, métaphysique, etc.) viennent s'ajouter*

1. *Sens et non-sens*, Paris, éd. Nagel, 1948, p. 55.
2. *Phénoménologie de la perception*, p. I.
3. « Nature, humanisme, tragédie », pp. 587-588.

> *aux choses, leur donnant un aspect moins étranger,*
> *plus compréhensible, plus rassurant* [1].

Le phénoménologue, comme le romancier, se propose une tâche identique : éliminer du champ per-
ceptif tout ce que l'homme a pu y déposer au cours
de l'histoire. Pour Robbe-Grillet, cette mise en
ordre du monde en termes humains de cohérence
et de signification qui, en littérature, s'exprime par
le recours à la métaphore, est dangereuse. Conditionné par la littérature traditionnelle, qui était une
littérature de l'Être, l'homme s'est éloigné de l' « univers des formes pour se trouver plongé dans un univers de significations [2] ». Ce qui est dangereux dans
le langage analogique, c'est qu'il est créateur de
significations et, là encore, on retrouve le lien entre
Robbe-Grillet et ses contemporains à tendance phénoménologique. Pour la plupart d'entre eux, les
significations sont devenues un immense et épais
brouillard, une collection de mythes et de fétiches
culturels, de fables qu'il s'agit de mettre de côté
pour retrouver l'univers des formes. Le « quelque
chose de solide » pour Sartre, le « contact naïf avec
le monde » pour Merleau-Ponty [3], c'est le retour à
« la nature des choses elles-mêmes » de Husserl [4].

L'univers des formes est ce qu'a retrouvé la peinture à partir de Cézanne pour qui tout le sens gît
dans la configuration même du tableau et non plus
dans la représentation des objets qui renvoient à
d'autres objets dans le monde, dont le tableau n'est

1. « Une voie pour le roman futur » (*La Nouvelle Revue Fran-*
çaise, juillet 1956, p. 80).
2. « Nature, humanisme, tragédie », p. 588.
3. *Phénoménologie de la perception*, p. I.
4. *Méditations cartésiennes*, p. 11.

qu'une représentation. Le tableau moderne « ne
peut prendre la signification d'un objet autre que
lui ou extérieur à lui [1] ». Le sens ne se trouve ni
avant ni au-delà du tableau; il se fait à partir des
rapports dans le tableau. On peut ainsi reconnaître
à la peinture contemporaine une tendance commune
essentielle : par rapport à la peinture traditionnelle,
elle manifeste une mise hors jeu des significations et, à leur place, une mise en valeur des
formes.

Au théâtre, les pièces de Beckett, par exemple,
représentent ce refus de significations. Seul, le roman
est demeuré récalcitrant aux nouvelles formes, cram-
ponné à son passé. Cette docilité du genre est désormais brisée par le roman de Robbe-Grillet dont le
radicalisme suscite d'ailleurs, chez le public, une
incompréhension et une méfiance qui ne sont pas
sans similitude avec l'hostilité qu'avait naguère ren-
contrée la nouvelle peinture.

Ce radicalisme est aussi méthodique dans les
essais théoriques que dans la technique romanesque
de Robbe-Grillet. Dans le roman, il s'exprime par
l'image d'un homme qui *marche* et qui n'a d'autre
durée que celle de sa marche. C'est un homme qui
ne déborde pas dans la vie intérieure. « La vérité
n'' " habite " pas seulement l' « homme intérieur » ou
plutôt il n'y a pas d'homme intérieur, l'homme
est au monde, c'est dans le monde qu'il se connaît [2]. »
Sartre affirme la même chose : « Nous voilà déli-
vrés... de la " vie intérieure " [3]. »

C'est encore Sartre qui, le premier, en ce qui

1. Charles-Pierre Bru, *Esthétique de l'abstraction*, Paris, Presses
Universitaires de France, 1955, p. 262.
2. Merleau-Ponty, *Phénoménologie de la perception*, p. V.
3. « Une idée fondamentale de la phénoménologie de Husserl :
l'intentionnalité » (*Situations*, *I*, p. 34).

concerne la littérature française, du moins, a entrevu l'image de l'homme tel qu'on le trouve dans l'art présent : l'homme apparence :

> *Mais si nous nous sommes une fois dépris de ce que Nietzsche appelait " l'illusion des arrière-mondes " et si nous ne croyons plus à l'être-de-derrière-l'apparition, celle-ci devient... pleine positivité, son essence est un « paraître » qui ne s'oppose plus à l'être, mais qui en est la mesure, au contraire. Car l'être d'un existant, c'est précisément ce qu'il paraît* [1].

La description de Robbe-Grillet n'est même plus tension vers le dehors, elle se contente de regarder le dehors des choses, elle ignore volontairement le dedans des choses.

La littérature des phénomènes, comme la peinture moderne, c'est le constat que l'homme n'est pas une profondeur riche et insondable, mais un creux, un vide temporel [2].

Des écrivains comme Robbe-Grillet et Claude Simon ne peuvent plus croire au monde romanesque de Sartre pour qui : « L'écrivain... c'est aux situations qu'il a affaire [3] »; situations auxquelles il est appelé à conférer des significations morales, politiques ou sociales. Pour ces écrivains, au contraire, « si le monde signifie quelque chose, c'est qu'il ne

---

1. Sartre, *L'Être et le néant*, Paris, Gallimard, 1943, p. 12.
2. « Si nous en croyons Merleau-Ponty les deux grandes découvertes philosophiques de notre époque sont précisément cette *existence* et cette *dialectique* en tant qu'elles se réfèrent l'une à l'autre. L'existence est toujours hors de soi, elle n'est soi-même que dans cette ouverture, dans cette béance temporelle, ce qu'on nomme sa transcendance » [Jean Hippolite, « Existence et dialectique dans la philosophie de Merleau-Ponty » (*Les Temps modernes*, numéro spécial, 1961, nos 184-185, p. 231).]
3. « Qu'est-ce qu'écrire? » (*Situations, II*, Paris, Gallimard, 1948, p. 63).

signifie rien [1] ». L'expression signifiante est à éviter parce qu'elle attribue un sens au monde qui n'en a pas. Quand Robbe-Grillet reproche à Sartre, à l'auteur de *La Nausée*, d'avoir « porté à leur plus haut degré les idées de *nature* et de *tragédie* », de demeurer ainsi attaché à l'humanisme, Robbe-Grillet marque la rupture entre les deux générations.

On a l'impression que, pour des écrivains comme Robbe-Grillet et Claude Simon, c'est Sartre qui a ébranlé certaines croyances et certains procédés dont eux-mêmes se sont faits des ennemis déclarés, c'est Sartre qui a mis l'homme en face des choses. Mais en chassant l'homme de sa « forteresse intérieure fictive », Sartre lui a aussitôt assigné une situation, une situation qui exige de lui un engagement. Elle constitue tout un système de valeurs sociales, morales, humanistes. C'est par là que se séparent de lui ces jeunes écrivains. Pour Robbe-Grillet, l'homme n'est plus dans une situation de valeurs mais dans une situation de choses. Dans certains de ses écrits théoriques, Sartre avait pourtant placé l'homme dans un milieu où le voit volontiers Robbe-Grillet :

> *Ce n'est pas dans je ne sais quelle retraite que nous nous découvrons : c'est sur la route, dans la ville, au milieu de la foule, chose parmi les choses [2].*
>
> *Je crois que tout ce que l'homme ressent est supporté, à chaque instant, par des formes matérielles de ce monde [3]*, dit Robbe-Grillet.

Le sentiment, l'idée pour Robbe-Grillet, sont images, choses concrètes, ce qui nous amène à la

---

1. Claude Simon, cité par Madeleine Chapsal, « Le jeune roman » (*L'Express*, 12 janvier 1961).
2. « Une idée fondamentale de Husserl » (*Situations, I*, p. 34-35).
3. « Entretien » (*L'Express*, 8 octobre 1959).

considération de la peinture moderne. Le retard du roman sur la peinture mériterait une étude approfondie qui chercherait à comprendre comment ce genre, naguère révolutionnaire, est devenu un lieu de retardataires. Il y a bien longtemps que Cézanne a déclaré : « Je pars neutre. » Dans ce « je pars neutre » de Cézanne est contenu le principe du roman de Robbe-Grillet et, bien entendu, de toute la peinture contemporaine qu'on appelle abstraite ou non figurative. Toute la représentation de la réalité, qu'elle soit picturale ou littéraire, est mise en cause dans cette déclaration de Cézanne. On verra plus loin qu'ici et là certains écrivains étaient conscients de la nécessité de repartir à nouveau, de retrouver l'origine des choses. Le roman, toutefois, est resté fermé à l'entreprise de désintégration commencée par Cézanne pour la peinture, et à l'entreprise de « nettoyage » que le roman de Robbe-Grillet se propose.

Sartre distingue encore ainsi peinture et roman :

> *L'écrivain peut vous guider et s'il vous décrit un taudis, y faire voir le symbole des injustices sociales, provoquer votre indignation. Le peintre est muet : il vous présente un taudis, c'est tout; libre à vous d'y voir ce que vous voulez. Cette mansarde ne sera jamais le symbole de la misère; il faudrait pour cela qu'elle fût signe, alors qu'elle est chose* [1].

Pareille distinction n'est plus possible après l'événement du roman de Robbe-Grillet. D'abord, le roman n'est plus conscience sociale, il n'est engagé ni dans un sens sartrien ni dans un sens de Camus ou de Malraux. D'autre part le romancier est devenu, comme le peintre, « muet » avec tout ce qu'implique l'analyse de Sartre, seulement celle-ci vaut

---

1. « Qu'est-ce qu'écrire? » (*Situations, II*, p. 62).

aujourd'hui pour le romancier Robbe-Grillet, surtout le « libre à vous d'y voir ce que vous voulez ».
« Cézanne a fait sauter une bombe dans cette vision
en peignant une tête comme un objet », dit Giacometti qui cite Cézanne : « Je peins une tête comme
une porte, comme n'importe quoi[1]. » La tête, en tant
que ressemblance ou en tant que représentation d'une
forme familière, ne comporte plus de valeur réelle.
L'intérêt porté à une tête ou à une porte, ou à
n'importe quoi d'autre, réside dans le jeu des formes
qu'offre une porte non moins qu'une tête d'homme.
La raison pour laquelle le roman de Robbe-Grillet
est une rupture implicite et non explicite avec le
roman traditionnel, la raison pour laquelle, dans ses
romans, il passe sous silence l'héritage plutôt qu'il
ne l'attaque ouvertement, c'est que Robbe-Grillet
ne cherche pas à renverser des significations en leur
substituant d'autres significations. Son dessein, profondément original pour le roman, consiste à rem-
placer les significations par les formes. C'est ainsi
que s'explique l'aspect technique, le formalisme de
son roman. Or, ce que Robbe-Grillet appelle l'univers des formes, en opposition à l'univers des significations, c'est bien ce qui préoccupe la peinture
contemporaine. La peinture moderne a récusé le
sujet pour en découvrir un nouveau et qui n'est
rien d'autre que les formes mêmes. Cette prééminence des formes non représentatives implique une
mise entre parenthèses de tout un réservoir culturel où l'Européen puisait ses images familières de
l'homme et du monde. Le grand foisonnement de
formes qu'est l'art contemporain se caractérise par
l'absence du monde qui nous est familier, par la
démolition de cet édifice de références infinies et

1. Cité par G. Charbonnier, *Le Monologue du peintre*, Paris, Julliard, 1959, p. 177.

extérieures à l'œuvre. Grâce à ces références analogiques, symboliques, signifiantes, le monde prenait un sens ou plutôt, il retombait dans le sens institué. Le roman de Robbe-Grillet cherche à mettre un terme à cet édifice de références, à ce qu'il appelle le « réseau de significations » qui informe la peinture et le roman représentatifs.

> *Tous ces éléments renvoient au monde des objets que nous connaissons par nos sens : des rapports de terme à terme s'établissent entre le tableau et le monde... une suite de références : dans une nature morte, la table renvoie à la table et les fruits renvoient aux fruits que nous connaissons* [1].

Faire un tableau qui ne renvoie pas aux symboles familiers mais qui soit un départ à neuf, c'est la tendance annoncée dans le « je pars neutre » de Cézanne, tendance qui se poursuit jusqu'à nos jours aboutissant à ses conséquences logiques : le tableau pur dépouillé de tout objet et dont le sens profond se trouve dans l'effort qu'il fait pour se nier. A cet égard, le titre d'un des essais de Maurice Blanchot est significatif : « La Littérature et le droit à la mort [2]. » Il y a bien longtemps que la peinture revendique son droit à la mort tandis que le roman tenait à sa vie menacée de toutes parts : de l'intérieur, par le roman lui-même et ses formes réactionnaires, et par le cinéma par exemple. Au moment où apparaît l'œuvre de Robbe-Grillet, le roman avait profondément besoin d'un nouveau départ. Un regard rapide sur tout ce qui aujourd'hui s'intitule « roman » accordera que le roman était parvenu à une dégradation qu'aucun genre littéraire n'a connue.

1. Pierre Soulages, cité par Charbonnier, *Le Monologue du peintre*, p. 155.
2. Dans *La Part du feu*.

Il paraît certain que la crise du roman, dont on
parlait il y a quelques années, était réelle. Elle
semble désormais passée, et le genre romanesque
doit à Robbe-Grillet une grande part de son renou-
vellement et de sa nouvelle vigueur. Il cherche à
construire sur les ruines du roman, comme la peinture s'est faite à partir de la négation de la peinture.
Le but, pour Georges Braque, c'est « rejoindre un
certain néant intellectuel [1] ». Pour lui, « le tableau
est fini quand l'idée est disparue [2] », ou encore « le
symbole est ce que j'évite [3] ». Le vide que présup-
pose le tableau de Braque est le même dont parle
Miro : « Je pars d'une chose très directe. Nullement
intellectuelle [4]. » « Je suis contre toute recherche
intellectuelle préconçue et morte [5]. » La part du
vide, on le voit, est grande dans toutes ces recherches
et « le degré zéro de l'écriture », selon l'expression
de Roland Barthes, qui hante le roman de Robbe-
Grillet, n'est autre que ce commencement des choses
que poursuit la peinture. « Peu à peu, dit Jean
Bazaine, des siècles d'un rationalisme de plus en
plus étroit ont creusé autour de lui [autour de
l'homme] un fossé chaque fois plus profond. Il s'est
trouvé seul, enfermé dans sa peau, une peau toujours plus étriquée et plus triste, une peau de cha-
grin [6]. » Le rationalisme que dénonce Bazaine est
cette tendance à découvrir partout des rapports
entre l'homme et les choses, la pensée et la nature
aboutissant à la déclaration hégélienne : « Ce qui
est rationnel est réel et ce qui est réel est ration-

---

1. Cité par Charbonnier, *Le Monologue du peintre*, p. 11.
2. *Ibid.*, p. 14.
3. *Ibid.*, p. 12.
4. *Ibid.*, p. 120.
5. *Ibid.*, p. 122.
6. *Ibid.*, p. 103.

nel. » La maladie de l'homme dont parle Robbe-
Grillet est cet état d'esprit que la peinture contemporaine a également reconnu comme tel puisqu'elle
a supprimé l'ensemble de ses manifestations.

« L'humain m'est interdit [1] », dit André Masson.
Cette remarque résume l'effort qui se fait pour éviter l' « humain ». Pour l'Européen, l'humain c'est
une synthèse d'idéologies gréco-chrétiennes à caractère anthropocentrique :

> ...*l'éternelle réponse*, dit Robbe-Grillet, *à la* seule
> question *de notre civilisation gréco-chrétienne; le
> sphinx est devant moi, il m'interroge, je n'ai même
> pas à essayer de comprendre les termes de l'énigme
> qu'il me propose, il n'y a qu'une réponse possible,
> une seule réponse à tout : l'homme* [2].

Cette notion de l'homme au destin spirituel dans
un univers compréhensible en termes humains, se

1. Cité par Charbonnier, *Le Monologue du peintre*, p. 193.
2. « Nature, humanisme, tragédie », p. 588. Hegel décrit ainsi
l'esprit grec : « Die Götter sind anerkannt, geehrt, sie sind die sub-
stantiellen Mächte, der wesentliche Gehalt des natürlichen und geisti-
gen Universums, das Allgemeine. Diese allgemeinen Mächte, wie sie
der Zufälligkeit entnommen sind, erkennt der Mensch an, weil er
denkendes Bewusstsein ist, also die Welt nicht mehr für ihn vorhan-
den ist auf äusserliche, zufällige Weise, sondern auf wahre Weise.
Wir verehren so die Pflicht, Gerechtigkeit, Wissenschaft, politisches
Leben, Staatsleben, Familienverhältnisse; diese sind das wahrhafte,
sie sind das innere Band, das die Welt zusammenhält, das Substantielle, worin das Andere besteht, das Geltende, was allein aushält
gegen die Zufälligkeit und Selbständigkeit, die ihnen entgegenhan-
delt... Der Gehalt dieser Mächte ist das eigene Sittliche der Menschen,
ihre Sittlichkeit, ihre vorhandene und geltende Macht, ihre eigene
Substantialität und Wesentlichkeit. Das griechische ist daher das
menschlichste Volk : alles Menschliche ist affirmativ berechtigt,
entwickelt und es ist Maass darin... In dieser Religion ist nichts
unverständlich, nichts unbegreiflich, es ist kein... Inhalt in dem
Gotte, der dem Menschen nicht bekannt ist, den er in sich selbst
nicht finde, nicht wisse » (*Sämtliche Werke, Vorlesungen über die
Philosophie der Religion*, Stuttgart, 1928, XV, 134 *f*).

trouve entièrement dissoute dans l'art contemporain. On n'y trouve plus la trace de l'homme, mesure
de toute chose ou de l'homme, tension spirituelle
vers un au-delà de ce monde. Le visage familier de
l'homme a cessé de subir desimples métamorphoses :
il se dissout.

S'agit-il ici d'un simple sacrifice esthétique
qu'exige toute œuvre originale ou bien d'une radicale dépossession de l'homme de toutes ses préro-
gatives et prééminences? Il est difficile de le dire.
Ce qui, toutefois, est évident, c'est qu'il y a dissolution de la personne humaine telle que nous nous
la construisions avec nos images familières. Le portrait reconnaissable, au visage unique, a disparu de
la toile, comme le héros traditionnel de roman est
en train de disparaître dans la mesure où il est
réduit à une présence sans nom, sans identité, sans
cette personnalité unique dont il a été doté à toutes
les époques du roman. Le personnage de Robbe-
Grillet ne se réclame d'aucune substance, il est une
présence dans une situation relative. Giacometti
décrit ainsi ce processus de dissolution :

> *Ce que réellement je sentais, ça se réduisait à*
> *une plaque posée d'une certaine manière dans*

Tous ces aspects de l'esprit grec sont résumés, depuis l'époque
existentielle, sous le titre de « philosophie essentialiste », philosophie qui a vécu son temps. Toute œuvre significative du XXe siècle
constitue une destruction plus ou moins consciente de cette philosophie. L'œuvre de Beckett est fondamentalement entamée par un
total manque d'essences. Chez les autres romanciers, Musil, Joyce,
par exemple, les valeurs occidentales sont soumises à des dissolutions
spectaculaires. Chez Kafka, ce problème ne se pose même pas;
l'homme y est privé de tout « divertissement », de toute consolation
culturelle. Mais Kafka est, dans ce sens, un romancier solitaire.
C'est pourquoi la peinture moderne est nettement à l'avance du
roman. (« A l'avance » relativement aux tendances générales de
l'époque actuelle.) Depuis un demi-siècle déjà, elle est formes pures,
formes sans significations et sans idéologies.

> *l'espace, et où il y avait tout juste deux creux, qui*
> *étaient si l'on veut le côté vertical et horizontal que*
> *l'on trouve dans toute figure... pour arriver à*
> *la plaque, j'ai commencé par vouloir réaliser de*
> *mémoire le plus possible de ce que j'avais vu. Je*
> *commençais donc bel et bien par faire une figure ana-*
> *lysée, avec des jambes, une tête, des bras, et tout cela*
> *me semblait faux, je n'y croyais pas. Pour le préciser,*
> *j'ai été obligé peu à peu de sacrifier, de réduire... de*
> *laisser tomber la tête, les bras et tout ! De la figure,*
> *il ne me restait qu'une plaque* [1]*...*

Ce qui est frappant ici, c'est la réduction gra-
duelle qui tend vers l'effacement total des formes
connues intimes. Le peintre n'est pas tranquille
avant qu'il ait désencombré son tableau de toutes
les images de sa mémoire. L'œuvre n'est pas finie
avant le sacrifice des formes entrevues dans la
nature ou dans les créations imaginaires. Le tableau
est achevé quand il ne se laisse plus emprisonner
dans des références familières :

> *Les traits du visage s'étaient figés dans la pose*
> *où ils avaient fait leur apparition — comme fixés à*
> *l'improviste sur une plaque photographique. Cette*
> *immobilité, loin d'en faciliter le déchiffrage, ne*
> *faisait que rendre plus contestable chaque essai*
> *d'interprétation : bien que la figure ait de toute*
> *évidence possédé un sens — un sens très banal et*
> *que l'on pensait au premier abord pouvoir aisément*
> *découvrir — elle fuyait sans cesse devant les réfé-*
> *rences dans lesquelles Mathias tentait de l'empri-*
> *sonner* [2]*.*

C'est un texte de Robbe-Grillet. L'analogie entre
la « plaque » du peintre et la plaque photographique
de Robbe-Grillet est due au fait que dans les deux

1. Charbonnier, *Le Monologue du peintre*, p. 162.
2. *Le Voyeur*, Paris, éd. de Minuit, 1955, p. 40.

cas l'effort porte à supprimer les formes-signes et
à parvenir ainsi à des formes étrangères, des formes
au milieu desquelles on n'est plus chez soi.

Si les formes dites « abstraites » ont pu atteindre
à cette souveraineté c'est que, de nos jours, le monde
est un monde de phénomènes et, si tout est phénomène, l'homme non plus n'est que phénomène.
Seul, le phénomène est réel, l'objet ne cache rien
au-delà de ce qu'il est comme phénomène. L'homme
moderne ne poursuit plus les essences qui seraient
enfouies au cœur des choses. Le symbole du poète
du xixᵉ siècle n'a plus aujourd'hui l'être comme
garantie. Mais on n'a pas besoin d'aller au siècle
précédent pour trouver un langage sous-tendu par
une essence spirituelle. Le roman de Proust est tout
entier une tension vers l'au-delà de l'immédiat :

> *Un toit, un reflet de soleil sur une pierre, l'odeur
> d'un chemin me faisaient arrêter par un plaisir par-
> ticulier qu'ils me donnaient, et aussi, parce qu'ils
> avaient l'air de cacher, au-delà de ce que je voyais,
> quelque chose qu'ils invitaient à venir prendre et que
> malgré mes efforts je n'arrivais pas à découvrir.
> Comme je sentais que cela se trouvait en eux, je res-
> tais là, immobile, à regarder, à respirer, à tâcher
> d'aller avec ma pensée au-delà de l'image ou de
> l'odeur* [1].

Qu'on juxtapose à ce passage de Proust un texte
de Robbe-Grillet, on verra combien la réalité s'est
réfugiée dans l'apparence ou dans ce que Robbe-
Grillet appelle la surface :

> *Ainsi les objets peu à peu perdront leur incons-
> tance et leurs secrets, renonceront à leur faux mys-
> tère, à cette intériorité suspecte que Roland Barthes*

1. Marcel Proust, *A la recherche du temps perdu*, I, Bibliothèque
de la Pléiade, 1954, p. 178.

*a nommée le « cœur romantique des choses ». Celles-
ci ne seront plus le vague reflet de l'âme vague du
héros, l'image de ses tourments, le support de ses
désirs. Ou plutôt, s'il arrive encore aux choses
d'accepter cette tyrannie, ce ne sera plus qu'en apparence, pour mieux montrer à quel point elles lui
restent étrangères [1].*

La croyance à l'âme cachée des choses a conditionné l'observateur de telle sorte qu'il « ne parvient pas à voir le monde qui l'entoure avec des
yeux libres [2] », dit Robbe-Grillet.

L'habitude traditionnelle néglige l'apparence parce
que, à ses yeux, elle cache la réalité. Pour les modernes, l'être est dans le paraître. « Au regard de
Dieu, qui perce les apparences sans s'y arrêter, il
n'est point de roman, il n'est point d'art puisque
l'art vit de l'apparence [3]. »

« Husserl a réinstallé l'horreur et le charme dans
les choses. Il nous a restitué le monde des artistes
et des prophètes [4] », dit encore Sartre. Aujourd'hui,
l'apparence de l'objet est valorisée dans l'exacte
mesure où l'objet en tant que prétexte à réalité
cachée est dévalué. « Dans la perception, nous nous
trouvons transportés au cœur même de la réalité [5]. »
Le concept moderne de la perception est étroitement
lié à cette réhabilitation de l'apparence. « Ma perception est... une certaine conscience [6]... » La perception est déjà une organisation synthétique mentale. Elle est ma manière de se rapporter à un objet.

1. « Une voie pour le roman futur » (*La Nouvelle Revue Française*, juillet 1956, p. 82-83).
2. *Ibid.*, p. 80.
3. Sartre, « M. François Mauriac et la liberté » (*Situations*, I,
p. 57).
4. « Une idée fondamentale de Husserl » (*Situations*, I, p. 34).
5. Charles Lapicque, cité par Charbonnier, p. 76.
6. Sartre, *L'Imaginaire*, Paris, Gallimard, 1940, p. 16.

L'important livre de Merleau-Ponty est consacré à la phénoménologie de la perception : « La vision, dit-il, est déjà habitée par un sens [1]... »

Le grand pouvoir assigné par Robbe-Grillet à la vision ne serait compréhensible que si l'on reconnaît que le regard est une conscience, une imagination. L'importance attachée à la perception peut se remarquer dans l'influence de l'art cinématographique sur le roman :

> Il arrive à tout moment que le récit filmé nous tire hors de notre confort intérieur, vers ce monde offert, avec une violence qu'on chercherait en vain dans le texte écrit correspondant, roman ou scénario [2].

Dans cette réflexion de Robbe-Grillet sur le cinéma, on retrouve encore la résolution contemporaine de jeter l'homme hors de lui-même, de le dépouiller de toute durée. L'image cinématographique qui « nous tire hors de notre confort intérieur, vers un monde offert », est pour Robbe-Grillet un moyen idéal vers une littérature spatiale, une littérature qui ne permet pas au temps de s'installer dans l'être. Un peintre contemporain exprime ce refus de la durée dans ces termes :

> Notre époque considère l'instantané comme la meilleure expression de la durée, du temps et de l'éternité. Elle souhaite exprimer un monde en extension infinie par une contraction totale de l'être en un temps égal à zéro. Pour tout dire, elle voudrait échapper à la durée [3].

Un petit recueil de poèmes en prose publié par Robbe-Grillet en 1962 a pour titre *Instantanés;* l'ins-

---

1. *Phénoménologie de la perception*, p. 64.
2. « Une voie pour le roman futur », p. 81.
3. Mario Prassinos, cité par Charbonnier, p. 108.

tant, c'est le lieu du maintenant, de la maigreur
temporelle, maigreur qui, chez Robbe-Grillet, se
veut telle. La poursuite d'un temps égal à zéro est
devenue hantise. Elle se manifeste dans le plan
unique du tableau moderne, dans son refus de la
géométrie euclidienne, dans le rejet, par Robbe-
Grillet, des adjectifs de la profondeur, dans l'image
de la plaque photographique.

> *Chacun peut apercevoir la nature du changement
> qui s'est opéré. Dans le roman initial, les objets et
> les gestes qui formaient le tissu de l'intrigue dispa-
> raissaient complètement, pour laisser la place à leur
> seule signification : la chaise inoccupée n'était plus
> qu'une absence ou une attente, la main qui se pose
> sur l'épaule n'était plus que marque de sympathie,
> les barreaux de la fenêtre n'étaient que l'impossi-
> bilité de sortir... Et voici que maintenant on voit la
> chaise, le mouvement de la main, la forme des bar-
> reaux. Leur signification demeure flagrante, mais,
> au lieu d'accaparer notre attention, elle est comme
> donnée en plus; en trop, même, car ce qui nous
> atteint, ce qui persiste dans notre mémoire, ce qui
> apparaît comme essentiel et irréductible à de vagues
> notions mentales, ce sont les gestes eux-mêmes, les
> objets, les déplacements et les contours, auxquels
> l'image a restitué d'un seul coup (sans le vouloir)
> leur réalité* [1].

Non seulement cet extrait-ci, mais tout l'essai
intitulé « Une voie pour le roman futur », constitue
une véritable « déclaration des droits de l'objet ».
Dans la littérature traditionnelle, l'objet est instrument au service de l'esprit, des besoins mentaux et
affectifs de l'homme. En dehors de son rôle de signi-
fiant et de témoin pour l'homme, il n'a aucune
autonomie, aucun droit à l'être. L'appropriation,

---

1. « Une voie pour le roman futur », p. 81-82.

soit utilitaire, soit anthropocentrique, aboutit inévitablement à nier l'objet, à lui refuser son propre
mode d'être. Le traitement traditionnel de l'objet
lui enlevait toute efficacité. L'objet qui signifie
quelque chose en termes humains est un objet appro-
prié, humain. Un objet humain est reconnu et classé
comme dans un fichier, il est ainsi rassurant. Un
objet qui refuse, au contraire, de se faire fonction
ou contenant à signification, arrête le regard, s'impose comme étrange et inhabituel.

On ne peut nier que dans le roman avant Robbe-
Grillet, les objets étaient décrits en fonction de leur
signification. S'ils étaient perçus, c'est en tant qu'instrument : ils servaient de simple support à la
psychologie du personnage. Ils étaient miroir de
l'âme, reflet du caractère du héros [1]. La chaise, les
barreaux sont aujourd'hui promus au rang de
chaise et de barreaux autonomes, de présences suffisantes.

Cette attitude devant l'objet n'a pas de précurseur véritable dans le roman français. Sartre et
Francis Ponge ont tous les deux pourvu l'objet
d'attributs qu'il ne possède pas. Sartre a eu recours
à l'adjectif, Ponge au nom. L'adjectif de Sartre a
sa source dans cet « écœurement douceâtre » dont
est saisi Roquentin devant une paire de bretelles
— si Sartre attribue à l'objet la qualité visqueuse,
c'est parce que la viscosité a, pour lui, une valeur
symbolique morale, voire métaphysique — le nom,
chez Ponge, a sa source dans un parti pris de l'être
en faveur de l'objet. Francis Ponge parle de la
« personne », de la « passion » d'une cigarette [2]. En
automne, dit-il, « la nature déchire ses manuscrits,

---

1. C'est une telle notion de l'objet qui fait de Balzac un romantique plutôt qu'un réaliste.

2. *Le Parti pris des choses*, Paris, Gallimard, 1942, p. 17.

démolit sa bibliothèque [1] ». Ce qui étonne c'est que
Sartre ait pu conclure que Ponge « a jeté les bases
d'une Phénoménologie de la Nature [2] ». C'est pourtant dans ce même essai que Sartre définit la phénoménologie par l'axiome « retour aux choses mêmes »,
par le radicalisme philosophique : « Feignons que
je ne sache rien [3]. » Ponge ne sait-il rien, ne dévoile-
t-il rien de sa culture littéraire quand il parle des
« manuscrits déchirés par la nature en automne »?
La « passion de la cigarette », est-ce un parti pris
des choses ou de l'homme, de l'homme-littérature?

La description sartrienne de l'objet dans *La Nausée* aurait, à vrai dire, pu devenir le grand antécédent de l'objet robbegrilletien. Ce qui coupe le lien
entre l'objet sartrien et celui de Robbe-Grillet c'est
que Sartre ne s'est pas limité à décrire l'objet, il a
établi un rapport explicite entre la qualité de l'objet et le personnage du roman.

L'objet dans la peinture moderne est, à notre
connaissance, le seul qui se laisse rapprocher de
l'objet chez Robbe-Grillet. Si nous enlevons à l'objet de Robbe-Grillet ce que Francis Ponge et Sartre
lui ont *ajouté*, nous l'aurons cerné dans une large
mesure : l'objet de Robbe-Grillet n'aura ni être [4]
ni adjectif. Dans la littérature traditionnelle, tout
est adjectif, l'objet n'est rien. C'est pour imposer
l'adjectif qu'on consent à décrire l'objet. L'adjectif
est le pont entre l'homme et l'univers [5].

1. *Le Parti pris des choses*, p. 9.
2. « L'Homme et les choses » (*Situations, I*, p. 293).
3. *Ibid.*, p. 262-263.
4. Il s'agit d'un être anthropocentrique que lui attribue Ponge.
5. Voici quelques exemples d'objets-adjectifs : « la rive épouvan-
tée » (Lamartine); « un lac de sang » (Baudelaire); « portière
appuyée par la cupidité » (Balzac); « la harpe séraphique » (Flaubert); « l'acide moral » (Balzac); etc. Tous ces adjectifs ont ceci en
commun que chacun d'eux était le point de départ, l'idée qui préoc-

En refusant l'adjectif à l'objet, l'objet, du même coup, s'impose comme présence. Présence impénétrable qui n'invite pas le spectateur à en sonder l'intérieur :

> *Autour de nous*, dit Robbe-Grillet, *défiant la meute de nos adjectifs animistes ou ménagers, les choses* sont là. *Leur surface est nette et lisse,* intacte, *mais sans éclat louche ni transparence. Toute notre littérature n'a pas encore réussi à en entamer le plus petit coin, à en amollir la moindre courbe* [1].

La peinture moderne ne nous absorbe pas dans sa sphère par le procédé illusionniste de la perspective et par une inconographie dans laquelle le spectateur reconnaît son univers. La peinture moderne nous rejette hors d'elle, nous maintient en face d'elle en tant que surface : « Avec l'art dit abstrait, pas de faux confort, de points d'appui illusoires, on est bien obligé de regarder la peinture [2]. » On est bien obligé de lire et de relire le roman de Robbe-Grillet, de revenir sans cesse en arrière, de le regarder de près car il ne renvoie à rien, dans notre univers, qui nous permettrait de le « comprendre » au premier coup d'œil sans chercher son sens nouveau dans ses formes nouvelles.

> *Aujourd'hui...*, dit Robbe-Grillet, *la fiction cinématographique, comme la fiction littéraire, met en scène des hommes qui ne tirent plus leur poids de réalité de leur caractère ou de leur personnalité exceptionnelle mais de leur situation et de leur présence... Et cela est d'autant plus net pour le cinéma que, sur*

cupait l'auteur. Il s'agissait simplement de trouver dans le monde un objet qui se chargerait de lui servir de support.

1. « Une voie pour le roman futur », p. 81.
2. Jean Bazaine, cité par Charbonnier, p. 100.

l'écran, l'homme est d'abord et surtout une présence,
tandis qu'un « personnage » c'est d'abord un nom [1].

Sur l'écran, l'homme *est* une présence, et, sur
l'écran, la simple présence d'un homme sans adjectif, sans nom, sans attribut aucun, suffit. L'image
filmique, même la moins recherchée, est assez envoûtante pour ne pas nous laisser le temps ni l'envie
de l'analyser et de l'expliquer. Dans la littérature,
un homme sans qualités devient aussitôt malaise,
inquiétude, angoisse. Dans le roman avant Robbe-
Grillet, l'homme sans adjectif est un homme délaissé,
tragique. *L'Étranger* de Camus est un homme sans
adjectif « humain » et ce manque lui vaut la mort.
Il y est condamné parce qu'il était fils sans piété
filiale, c'est-à-dire sans une certaine qualité. Le
cinéma préoccupe Robbe-Grillet dans la mesure où
l'art cinématographique supprime l'adjectif attribu-
tif. Proust a correctement jugé le pouvoir destructeur (guérisseur selon Robbe-Grillet) du cinéma :

> *Ce que nous appelons la réalité est un certain*
> *rapport entre ces sensations et ces souvenirs qui*
> *nous entourent simultanément — rapport que sup-*
> *prime une simple vision cinématographique, laquelle*
> *s'éloigne par là d'autant plus du vrai qu'elle pré-*
> *tend se borner à lui — rapport unique que l'écri-*
> *vain doit retrouver pour en enchaîner à jamais dans*
> *sa phrase les deux termes différents* [2].

Ces deux attitudes envers le cinéma expriment
deux réalités humaines entièrement opposées. On
peut mesurer, dans cette opposition, le grand changement qu'a subi la notion du réel. Pour Proust,
la réalité est tout entière dans les correspondances,

---

1. « L'acteur peut devenir une sorte de personnage mythique »
(*Le Monde*, 13 août 1960).
2. *A la recherche du temps perdu*, III, 889.

dans les analogies. Les relations proustiennes sont absolues, arrachées au temps. Pour Robbe-Grillet, les rapports entre les choses, les rapports entre les hommes sont minés par un relativisme aigu, exacerbé. La présence spatiale, les formes visuelles données dans le « maintenant » sont les moins irréelles parce que les moins dépendantes d'un au-delà des formes immédiates.

Rien ne garantit la réalité du roman de Robbe-Grillet, ni idée, ni être, ni verbe, ni parole, rien, sauf les formes. Voilà une autre raison pour laquelle le cinéma intéresse tant Robbe-Grillet. Dans le cinéma, la forme est l'unique, la seule incarnation possible à toutes réalités. Robbe-Grillet a écrit un « ciné-roman »; il est à présent en train de faire un film. La tendance du cinéma contemporain, représentée par Alain Resnais, est d'arracher le spectateur au spectacle, de le rejeter dans l'isolement. Alain Resnais déclare : « Ce que je souhaiterais : que le spectateur ne s'identifie pas au héros [1]. » Parlant d'un autre film récent, un critique déclare : « Film exemplaire sur le plan de la distanciation puisqu'il nous présente à la fois la réalité la plus courante, mais choisie, sélectionnée en fonction de sa situation particulière par un être avec lequel il nous est impossible de nous identifier [2]. »

> *Les innombrables romans filmés qui encombrent nos écrans nous offrent l'occasion de revivre à volonté cette curieuse expérience. Le cinéma, héritier lui aussi de la tradition psychologique et naturaliste, n'a le plus fréquemment pour but que de transposer un récit en images : il vise seulement à imposer au*

1. Interview d'Alain Resnais : « Un cinéaste stoïcien » (*Esprit*, juin 1960, p. 936).
2. Jean Carta, « L'humanisme commence au langage » (*Esprit*, juin 1960, p. 1128).

> *spectateur, par le truchement de quelques scènes bien choisies, la signification que les phrases commentaient à loisir pour le lecteur* [1].

Pour Robbe-Grillet, la vertu du cinéma n'est nullement dans la signification dont on peut charger l'image filmique; elle réside, bien au contraire, dans le moyen que représente la caméra d'ôter au monde le sens dont l'homme l'a recouvert. A cet égard, l'objectif de la caméra [2] possède la même vertu purificatrice que l'œil, le sens de la vue choisi par Robbe-Grillet pour son pouvoir laveur.

La remarquable entente entre Alain Resnais et Robbe-Grillet, dans la production de *L'Année dernière à Marienbad*, est lourde de conséquences pour le roman :

> *L'accord n'a pu se faire, entre Alain Resnais et moi, que parce que nous avons dès le début vu le film de la même manière; et non pas en gros de la même manière, mais exactement, dans son architecture d'ensemble comme dans la construction du moindre détail. Ce que j'écrivais, c'est comme s'il l'avait eu déjà en tête; ce qu'il ajoutait au tournage, c'était encore ce que j'aurais pu inventer* [3].

Or, un des phénomènes importants dans ce film est la rupture entre le spectateur et le héros. Le

---

Il y a longtemps que la peinture a mis un terme à cette assimilation personnelle de l'iconographie : « Où y a-t-il le plus de monde? Devant le *Sacre de Napoléon*. Pourquoi les gens regardent-ils justement ce tableau? Parce qu'ils s'imaginent d'abord assister à la scène, y participer. Ils deviennent des « petits Napoléon ». En même temps, le spectacle devient l'équivalent de la lecture d'un roman » (Giacometti, cité par Charbonnier, p. 173).

1. « Une voie pour le roman futur », p. 81.

2. « Seule l'impassibilité de l'objectif, en dépouillant l'objet des habitudes et des préjugés, de toute la crasse spirituelle dont l'enrobait ma perception, pouvait la rendre vierge à mon attention » (André Bazin, *Qu'est-ce que le cinéma?* Paris, Cerf, 1958, p. 18).

3. *L'Année dernière à Marienbad*, Paris, éd. de Minuit, 1961, p. 9.

but de cet art est exactement à l'opposé de celui que poursuivaient le roman et, bien entendu, le film traditionnel. Tout un vocabulaire a été inventé pour exprimer cette symbiose traditionnelle entre lecteur et roman, entre spectateur et spectacle : « sympathie, identification, participation, *Einfühlung*, etc. ». Pareil langage est devenu suspect. L'art, aujourd'hui, exprime un monde dans lequel l'homme est un étranger, que l'homme n'habite pas. Il peut observer ce monde, il peut le *voir* sans s'y engager. Entre l'homme et le monde il n'y a aucun pacte, aucune communion. L'homme regarde le monde, dit Robbe-Grillet, et le monde ne lui rend pas son regard. Les liens « naturels » que l'écrivain classique maintenait entre le monde, la nature et l'homme sont brisés. La métaphore, l'analogie attestaient la nature commune entre l'homme et l'univers. Or, on sait quelle guerre intransigeante a été déclarée par Robbe-Grillet au langage analogique. La dénonciation du langage analogique, de tout langage analogique et non seulement de l'abusif, est un phénomène nouveau dans l'histoire littéraire. Le recours à la métaphore correspond à un besoin affectif profond de l'homme. Robbe-Grillet a entrepris de le bannir du roman, d'en faire le sacrifice. Ce monde contemporain où l'on n'est pas ancré, auquel on assiste en spectateur, en « voyeur » selon le sens que ce mot aura chez Robbe-Grillet, est un monde étrange et étranger. S'il n'est plus familier c'est parce qu'il est sans analogies, c'est qu'il ne se laisse pas enfermer dans une métaphore.

Les nouveaux rapports qu'établit Robbe-Grillet entre l'homme et la nature, entre l'homme et l'homme rappellent la physique moderne dont Robbe-Grillet connaît les théories [1]. « L'attitude de

1. D'éducation scientifique, Robbe-Grillet rappelle souvent à ses

notre temps à l'égard de la nature ne s'exprime
guère, comme aux siècles passés, par une vaste philosophie de la nature : elle est au contraire déterminée, dans une très large mesure, par les sciences
de la nature et par la technique modernes [1]. »

D'un de ses romans, *Les Gommes*, Robbe-Grillet
dit que c'est un livre scientifique; il l'est en effet
dans la mesure où les formes du roman robbegrilletien sont des antiformes : elles n'ont rien d'im-
muable; elles demandent d'être revisées à chaque
instant. Tout l'effort de Robbe-Grillet porte à les
empêcher de devenir définitives. L'image de la
nature telle que la conçoit la physique moderne est,
elle aussi, une image de mutations constantes :
« ...chaque processus d'observation provoque des
perturbations considérables dans les particules élé-
mentaires de la matière. On ne peut plus du tout
parler du comportement de la particule sans tenir
compte du processus de l'observation [2] ».

Deux aspects de cette théorie nous intéressent du
point de vue du roman : l'observation est une pertur-
bation. Le regard robbegrilletien est caractérisé
par sa grande activité transformatrice. La deuxième
notion est celle du lien étroit entre la nature de
l'objet et la position de l'observateur. L'observateur
scientifique est, dans la science moderne, un homme
éminemment « situé ». Ici, la physique moderne
rejoint la phénoménologie pour laquelle le spectateur fait partie du spectacle qui est constamment
transformé par son regard. Robbe-Grillet traite avec
une consistance rigoureuse le problème de l'observateur situé, le problème du point de vue.

interlocuteurs que ses premiers intérêts étaient d'ordre scientifique.
    1. Werner Heisenberg, *La Nature dans la physique contemporaine*,
Paris, Gallimard, 1962, p. 9.
    2. *Ibid.*, p. 18.

« ...l'incertitude... est... ce qui décrit, de la façon la plus frappante, l'état des hommes dans la crise actuelle [1] ». L'incertitude philosophique et psychologique à laquelle conclut un savant contemporain est liée aux découvertes scientifiques qui ont bouleversé nos modes de penser : « ... On peut exprimer la divergence entre la physique contemporaine et la physique d'autrefois par ce qu'on appelle la relation d'indétermination [2]. » Cet aspect de la science moderne est reflété dans notre sens du réel, qui s'en trouve profondément altéré. « Lorsque nous apprenons qu'une chose arrive, nous présupposons toujours qu'une chose a précédé dont la première découle selon une règle [3]. » Ces rapports de causalité ont revêtu toutes sortes de formes littéraires. Quelle que fût leur nature, de tels rapports étaient toujours présents parce que l'œuvre commençait par un parti pris d'enchaînement et d'ordre. Le roman de Robbe-Grillet s'attaque à ces rapports de certitude dont jouissait la littérature. Il remplace les rapports de certitude par des rapports de doute. Chacune des images, chacune des formes du roman robbegrilletien est lourde d'incertitude et d'indétermination. Le réel, dans ce roman, n'est jamais saisi; il est toujours en train de subir une mutation; il faut le reconstruire à chaque instant. La réalité, c'est une ouverture perpétuelle, une béance.

1. Werner Heisenberg, *La Nature dans la physique contemporaine*, Paris, Gallimard, 1962, p. 26.
2. *Ibid.*, p. 47.
3. Kant, cité par Heisenberg, p. 41.

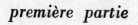

première partie

CHAPITRE PREMIER

« LES GOMMES » :
ROMAN DE LIQUIDATION

> *Certains jours, j'ai rêvé d'une gomme à effacer l'immondice humaine* [1].
>
> **Aragon.**

> *Ce livre est justement le récit des vingt-quatre heures qui s'écoulent entre ce coup de pistolet et cette mort, le temps que la balle a mis pour parcourir trois ou quatre mètres — vingt-quatre heures « en trop* [2] *».*

Le roman, *Les Gommes*, se déroule dans une période de vingt-quatre heures; il commence à six heures du matin et se termine à la même heure le lendemain. Mais voilà que Robbe-Grillet nous dit que ces vingt-quatre heures qui font le roman sont autant de temps « en trop ». Ce temps en excès, cette hypertrophie temporelle est le lieu où se glisse le drame, le lieu où tout peut arriver.

Il y a, chez Robbe-Grillet, une dialectique du temps qui, à première vue, ne semble pas dramatique mais qui, à la longue, entraîne très loin. Ces deux temps sont : un temps nécessaire et un temps

1. Cité par M. Nadeau, *Histoire du surréalisme*, Paris, éd. du Seuil, 1945, p. 96.
2. « Prière d'insérer », page de couverture des *Gommes*.

« en trop ». Le temps nécessaire, ou neutre, est celui
dont une balle a besoin pour parcourir trois ou
quatre mètres. Or, la balle qui tua Daniel Dupont
mit vingt-quatre heures pour parcourir cette même
distance. Comment cela est-il arrivé? Cela est arrivé
parce que, à la pure *facticité* du geste, est venue se
surajouter la *fable*, à *l'être-là* la fabulation humaine.
Cette activité fabulatrice est venue entacher le
temps neutre, y déposer son résidu hypertrophique,
en ralentir la course normale, créer le drame. Le
reproche presque unanime fait à Robbe-Grillet que
ses romans sont « inhumains » vient d'une confusion
entre le temps mythique, littéraire et humaniste et
le temps à son état originaire que Robbe-Grillet
essaie de ressaisir. Il vient de ce refus d'imaginer
l'homme autrement que comme produit prédestiné
de sa civilisation humaniste. Dans la mesure, pourtant, où cet humanisme est inséparable de la culture
dont il est le produit, il est relatif à l'histoire et, en
tant qu'histoire, il n'est pas irremplaçable. Les
vingt-quatre heures « en trop » qui constituent ce
roman sont sécrétées par des imaginations. C'est
cette tendance fabulatrice qui entamera des rapports dialectiques avec le temps idéal et cela dès
la première page du roman :

> *Bientôt malheureusement le temps ne sera plus
> le maître. Enveloppés de leur cerne d'erreur et de
> doute, les événements de cette journée, si minimes
> qu'ils puissent être, vont dans quelques instants
> commencer leur besogne, entamer progressivement
> l'ordonnance idéale, introduire çà et là, sournoise-
> ment, une inversion, un décalage, une confusion,
> une courbure, pour accomplir peu à peu leur œuvre :
> un jour, au début de l'hiver, sans plan, sans direc-
> tion, incompréhensible et monstrueux* [1].

1. *Les Gommes*, Paris, éd. de Minuit, 1953, p. 1.

Ce décalage est celui de vingt-quatre heures, la
faille où se glissera le langage, le langage qui sau-
vegarde et perpétue les mythes.

« ...le patron, le patron, le patron... Le patron,
nébuleuse triste, noyé dans son halo [1]. »

« Le patron, c'est moi. Le patron c'est moi. Le
patron c'est moi le patron... le patron... le patron [2]... »

La première citation se trouve au début, la
deuxième à la fin du premier roman de Robbe-
Grillet. Ces deux descriptions dans *Les Gommes* sont
donc des descriptions identiques du patron qui
affirme et répète, qui se perd à répéter : « Le patron,
c'est moi. » Qui est ce patron à qui Robbe-Grillet
attache une visible importance puisque le roman
débute par une description du patron et se termine
par une amplification élaborée des obsessions du
même patron. Malgré son apparence traditionnelle,
ce premier roman de Robbe-Grillet a laissé les critiques plus perplexes que ses romans ultérieurs,
pourtant bien plus inhabituels. Cette perplexité
s'est traduite par un silence assez général devant le
roman. Le grand article de Roland Barthes sur *Les
Gommes* se refuse à toute autre considération du
roman, en dehors du rôle qu'y joue l'objet. Pour
les autres critiques, ce roman demeure une énigme
assez déconcertante. Bernard Pingaud admet que ce
roman « n'était pas d'une interprétation facile [3] ».
L'étude attentive qu'en fait Hazel E. Barnes aboutit à la conclusion que Robbe-Grillet s'y rapproche
de l'émotion tragique grecque : « In its steadily
mounting tension, in its use of tragic irony, and in
the absolute inevitability of the denouement, the

1. *Les Gommes*, p. 2.
2. *Ibid.*, p. 257.
3. *Écrivains d'aujourd'hui*, Paris, Grasset, 1960, p. 423.

book achieves to a remarkable degree the feeling
of the true Greek tragedy [1]. » Le critique de *La
Nouvelle Revue Française* affirme, dans son compte
rendu, qu'il s'agit d'une « énigme policière » dont
le héros « nouvel Œdipe... accomplira le crime contre
nature [2] ». Ce premier compte rendu des *Gommes*
fait partie d'une des deux catégories d'interprétation que rencontra le roman de Robbe-Grillet. Dans
un article consacré à *La Jalousie* intitulé « New
Blinds of Old », Germaine Brée affirme que « ...the
basic situation which Robbe-Grillet selected recalls...
La Princesse de Clèves [3] ». Cette critique cherche
dans le roman de Robbe-Grillet ce qu'elle a déjà
trouvé, c'est-à-dire qu'elle cherche à le comprendre
en l'assimilant au déjà connu. La deuxième catégorie s'efforce, au contraire, à saisir ce qu'il y a de
nouveau, d'inconnu [4]. *Les Gommes* n'est ni un roman
policier ni l'histoire d'un nouvel Œdipe. C'est le
roman d'une rupture et c'est aussi, bien entendu,
un manifeste pour les romans futurs de Robbe-
Grillet.

Dans un premier roman publié, un écrivain a
rarement été aussi conscient de son projet et de son
ordre chronologique à l'égard de ses livres futurs.
En commençant par *Les Gommes*, Robbe-Grillet a
commencé par le commencement, par un roman
nécessaire. Un roman qui rappelle la démarche cartésienne : rejeter comme faux tout ce en quoi il

1. « The ins and outs of Alain Robbe-Grillet » (*Chicago Review*,
Winter-Spring, 1962, Vol. XV, No. 3, p. 40).
2. Manuel Rainoird, « *Les Gommes*, d'Alain Robbe-Grillet » (*Nouvelle Revue Française*, juin 1953, p. 1109).
3. *Yale French Studies*, Summer 1959, No. 24, p. 88.
4. Il est curieux de constater que la critique anglo-saxonne représentée par Bruce Morrissette, H. E. Barnes, penche vers une interprétation gréco-tragique des *Gommes*, la critique française vers une
interprétation antigrecque.

pourrait imaginer le moindre doute afin de voir s'il
ne lui resterait point, après cela, quelque chose qui
fût indubitable. Ce qui au terme de ce procédé appa-
raîtra comme indubitable sera, dit Robbe-Grillet, ce
qui est « irréductible à de vagues notions mentales [1] », ce sera « cette réalité têtue dont nous fai-
sions semblant d'être venus à bout [2] ». Ce qui appa-
raîtra comme un édifice de fausse fiction c'est,
précisément, ce que *Les Gommes* s'efforce de discréditer, c'est ce que *Les Gommes* recommence sans
cesse à « gommer ».

En 1956, trois ans après la publication des *Gommes*,
Robbe-Grillet dit, dans un essai théorique, ce qu'il
avait déjà dit dans *Les Gommes* sous forme ironique,
que la critique avait interprété littéralement son
roman en félicitant l'auteur d'avoir su retrouver
l'éloquente émotion des Anciens, ou l'art prestigieux
des mystères policiers : « Parfois même les éléments
qu'il aura le plus tenté de combattre sembleront
s'épanouir au contraire, plus vigoureux que jamais,
dans l'ouvrage où il pensait leur porter un coup
décisif; et on le félicitera, bien entendu, avec soulagement, de les avoir cultivés avec tant de zèle [3]. »

Avant d'écrire les romans ultérieurs, avant d'en-
treprendre *son propre* roman, Robbe-Grillet a pro-
jeté de faire table rase de tous les éléments qu'on
ne trouvera plus dans ses romans à lui. *Les Gommes*
sera ainsi la destruction de l'ancien temple littéraire.
On sait avec quelle ténacité Robbe-Grillet combat
les vieux mythes, explicitement dans ses essais et
implicitement dans tous ses romans. Or, l'ironie
majeure des *Gommes* porte sur le principal thème
du roman qui est le mythe œdipien. Pourquoi ce

1. « Une voie pour le roman futur », p. 82.
2. *Ibid.*, p. 81.
3. *Ibid.*, p. 79.

mythe-là plutôt qu'un autre? Si l'on considère la
multiplicité des cibles qu'on peut viser à travers ce
mythe, les nombreux points vulnérables qu'offrait
ce mythe au dessein critique de Robbe-Grillet, on
mesure combien excellent fut ce choix.

> *Dans le vide du mythe du temps pur et vierge de*
> *quoi que ce soit qui ressemble à ce qui nous touche,*
> *l'esprit assuré seulement qu'il y a eu quelque chose,*
> *contraint par sa nécessité essentielle de supposer un*
> *antécédent, des « causes », des supports à ce qui est,*
> *à ce qu'il est, enfante des époques, des états, des*
> *événements, des êtres, des principes, des images ou*
> *des histoires… C'est pourquoi il m'est arrivé d'écrire*
> *certain jour : Au commencement était la Fable* [1]!

La fable, pour Valéry, n'est pas une simple fiction
littéraire; elle s'invente, au contraire, à mesure que
l'homme se pose des questions. Si certaines choses
n'existent pas, l'esprit est contraint de les inventer.
Il faut que quelque chose ait déjà été là, avant,
quelque chose qui serve à l'homme de passé, de
fondement pour qu'il ne se découvre pas comme un
jaillissement immotivé, un être simplement là, à qui
manquerait ainsi l'être. Cet incessant enfantement
de la fable est, selon Valéry, une activité essentielle,
trop humaine. Elle comble le vide découvert aussitôt que l'homme s'aperçoit que le temps *est* « pur
et vierge ». Ce passage de Valéry exprime bien les
deux pôles de l'axe du roman, *Les Gommes*, parce
qu'il indique à la fois le point blanc, ce temps pur
et vierge, auquel on parvient aussitôt qu'on supprime toute fable, et la tendance à remplir aussitôt
le vide. On peut dire que le roman de Robbe-Grillet
est une tension, vers un temps blanc et vide, un

---

1. « Petite lettre sur les mythes » (*Variété*, I, Bibliothèque de la
Pléiade, 1957, p. 966).

temps « neutre », et le chemin qui y mène est un
chemin littéraire difficile car il est sans mythes et
sans fables.

Le romancier le plus révolutionnaire de cette génération donne à son premier roman la structure d'une
tragédie classique où il mélange les conventions
du genre grec et celles du xvii⁰ siècle français :
prologue, cinq actes, épilogue, unité de temps, etc.
Rien que cette charpente du roman suffit pour éveiller la méfiance du lecteur. Le choix d'une telle
forme ne peut qu'être ironique. La persévérance et
la rigueur avec lesquelles cette forme a été maintenue jusqu'au bout montrent assez l'importance
qu'attachait Robbe-Grillet aux thèmes ironisés dans
le roman.

Le prologue et l'épilogue traditionnels avaient
pour fonction de transformer le temps sans commencement ni fin, le temps contingent en un temps
circulaire et cohérent. La circularité du temps classique est l'image d'une chronologie rationnelle. La
tragédie grecque a un commencement, un milieu et
une fin, elle est un tout. Un tout cohérent, c'est
quelque chose qui a un commencement, un milieu
et une conclusion. La tragédie classique française a
divisé cette notion de l'intégrité en cinq actes, ce
qui n'entame en rien l'image d'une totalité, bien au
contraire.

Dans les tragédies classiques, les premières scènes
servent de passé à la pièce. Le spectacle qu'on a
devant les yeux ne surgit pas *ex nihilo;* il a son
fondement, sa nécessité dans le passé. Ainsi, la
Phèdre de Racine est inconcevable sans son passé
ancestral. La fin d'une tragédie classique est un
rétablissement de l'ordre perturbé par l'action de
la pièce. Phèdre meurt non pas en vain, mais pour
que le monde retrouve son équilibre moral. L'*Œdipe*

roi de Sophocle se termine également par un retour
d'un équilibre : le triomphe de la justice des dieux [1].
Ainsi, au fondement rationnel dans le passé, de la
tragédie, correspond un dénouement rationnel, car
ce dénouement ne se fait pas d'une manière chao-
tique, il est, au contraire, toujours voulu par un
ordre universel intelligent.

Si Robbe-Grillet fait précéder son roman par un
prologue et lui ajoute à la fin un épilogue, c'est
pour des fins exactement contraires à celles des
classiques : à la place de la progression dramatique
classique, Robbe-Grillet introduit un temps qui
tourne en rond, qui n'avance pas, un temps qui ne
sert à rien.

> *Comme il a traversé la rue pour prendre à droite*
> *cette nouvelle direction, il lit avec une surprise accrue*
> *le nom : « Boulevard Circulaire » sur l'immeuble*
> *qui fait le coin. Il se retourne désorienté... Il ne*
> *peut pas avoir tourné en rond* [2]...

Le « boulevard Circulaire » est l'image du temps
dans *Les Gommes*. Il s'agit, ici, d'un renversement
absolu de l'ordre littéraire classique des choses.

> *Un gros homme est là debout, le patron, cherchant*
> *à se reconnaître au milieu des tables et des chaises.*
> *Au-dessus du bar, la longue glace où flotte une*
> *image malade, le patron, verdâtre et les traits brouil-*
> *lés, hépatique et gras dans son aquarium* [3].

Qui est ce patron? C'est d'abord un homme qui
est « là debout ». C'est ensuite un homme qui se
tourne vers des objets, tables et chaises, pour savoir
qui et où il est. C'est encore un homme qui n'est ni

---

1. Voir les remarques de Hegel au sujet d'*Œdipe roi*, p. 52 de
cette étude.
2. *Les Gommes*, p. 44.
3. *Ibid.*, pp. 1-2.

descendant ni continuateur d'un archétype humain.
Il ne renvoie à rien d'autre, à personne d'autre que
lui-même et chacune des images de lui est une image
de désintégration instantanée.

L'épilogue achève de détruire la circularité du
roman traditionnel et, bien entendu, des tragédies
à épilogue :

> *Dans l'eau trouble de l'aquarium, des ombres
> passent, furtives. Le patron est immobile à son poste.
> Son buste massif s'appuie sur les deux bras tendus,
> largement écartés; les mains s'accrochent au rebord
> du comptoir; la tête penche, presque menaçante, la
> bouche un peu tordue, le regard vide. Autour de lui
> les spectres familiers dansent la valse, comme des
> phalènes qui se cognent en rond contre un abat-jour,
> comme de la poussière dans le soleil, comme les
> petits bateaux perdus sur la mer, qui bercent au gré
> de la houle leur cargaison fragile, les vieux tonneaux,
> les poissons morts, les poulies et les cordages, les
> bouées, le pain rassis, les couteaux et les hommes* [1].

Le patron s'accroche aux objets, les seuls qui
résistent au mouvement de désagrégation. Il ne
reste rien du langage et des rapports analogiques.
Tout retombe au chaos, ou à l'abondance du monde,
quand le livre est fini.

Robbe-Grillet a retracé pas à pas l'itinéraire
d'Œdipe. Au terme de cet itinéraire minutieusement
reconstitué, le mythe œdipien s'écroule. Il suffit parfois d'une scrupuleuse reconstitution d'un ancien
drame pour que celui-ci s'évanouisse pendant qu'on
essaie de le refaire. Il arrive aussi qu'une analyse
minutieuse dissolve un vieux problème en un faux
problème : « Il est facile de m'apercevoir... que la
tragification systématique de l'univers où je vis est

---

1. *Les Gommes*, p. 258.

souvent le résultat d'une volonté délibérée [1]. » Il y
a, entre l'Œdipe traditionnel et l'Œdipe de Robbe-
Grillet, une différence si radicale et si délibérée que
celui des *Gommes* apparaît comme un véritable anti-
Œdipe, et c'est en tant que anti-Œdipe qu'il assume
toute sa valeur. L'Œdipe de Sophocle, et combien
plus le sont ses héritiers, est coupable avant même
d'apparaître sur la scène. C'est l'homme coupable
depuis toujours dont l'avenir est condamné à n'être
qu'un retour du passé. Le héros des *Gommes* est
posé au départ comme innocent, il apparaît à un
point temporel lavé. La faute de l'Œdipe classique
est dans le plus profond de son être, elle est dans
sa « nature humaine », elle est dans l'inconscient
pour les freudiens [2]. Le personnage de Robbe-Grillet
surgit, au contraire, comme une pure présence,
comme un homme qui « est là debout ». Il n'est
supporté par rien en arrière, il n'est rattaché à
aucun passé. On n'en peut non plus tirer ni bon
ni mauvais augure pour son avenir. Hegel inter-
prète ainsi la signification du destin d'Œdipe : souffrance suivie de réconciliation [3]. Le terme qu'em-
ploie Robbe-Grillet pour désigner la réconciliation
est « récupération ».

1. « Nature, humanisme, tragédie », p. 604.
2. « L'image primordiale, que j'ai ailleurs appelée aussi « archétype », est ...toujours collective, c'est-à-dire commune au moins à
tout un peuple ou à toute une époque » (C. G. Jung, *Types psychologiques*, Genève, Librairie de l'Université, 1950, p. 454).
3. « ...der so wissend war, steht in der Macht des Bewusstlosen, so
dass er in tiefe Schuld fällt, als er hoch stand... Der Schluss der
Tragödie ist die Versöhnung, die vernünftige Nothwendigkeit, die
Nothwendigkeit, die hier anfängt, sich zu vermitteln, es ist die
Gerechtigkeit, die auf solche Weise befriedigt wird mit dem Spruch :
es ist nichts, was nicht Zeus ist, nämlich die ewige Gerechtigkeit.
Hier ist eine rührende Nothwendigkeit, die aber vollkommen sittlich
ist; das erlittene Unglück ist vollkommen klar; hier ist nichts Blindes,
Bewusstloses » (Hegel, p. 134-135).

> ...*la récupération des éléments négatifs ou aber-*
> *rants en vue d'une construction transcendante : un*
> *ensemble glorieux où tout aurait sa place. C'est une*
> *sorte d'opération magique par laquelle le malheur*
> *lui-même (l'échec, la solitude, la mort) se trans-*
> *forme* in extremis *en bien suprême. La récupération*
> *serait... la fonction principale de la grande littéra-*
> *ture* [1].

Si la fonction principale de la grande littérature
était de récupérer les échecs de l'homme, de per-
pétuer une dialectique de la misère et de la grandeur
de l'homme, le premier roman de Robbe-Grillet
retracera le mythe d'Œdipe dans un sens inverse,
il en fera le récit à rebours, détruisant pas à pas
les points de repère, démantelant les jalons familiers parce qu'ils étaient les coordonnées de rien,
parce que l'ordre, l' « ensemble glorieux », auquel
ils renvoyaient n'existe pas : « Je pense que le
monde... est irrécupérable [2] », dit Robbe-Grillet. La
tragédie a pu devenir réconciliation parce que, en
termes hégéliens, elle posait qu'un ordre rationnel,
qu'une justice universelle déterminaient le cours des
choses, parce qu'elle soumettait la contingence à
l' « opération magique » par laquelle le mal se transforme en bien.

Il faudrait repenser au mot « tragédie », au rôle
qu'il a joué dans toute la littérature occidentale,
pour mesurer la portée du changement intervenu.
La tragédie apparaît aujourd'hui comme une « opération magique » en laquelle l'homme contemporain
a perdu foi. La tragédie est une croyance dans
laquelle s'est installé le doute : « Le doute sur

1. « Entretien » (*L'Express*, 8 octobre 1959).
2. *Ibid.*

toute proposition tendant à poser la tragédie comme
naturelle et définitive [1]. »

Toute la quête du roman s'organise autour d'un
crime qui n'a pas été commis. L'obsession du héros,
comme des autres personnages, est motivée par
quelque chose qui n'a pas eu lieu. Il s'agit donc
d'une chimère, d'une fantasmagorie collective :
« Celui-là, décidément, il est à mettre dans le même
sac que Roy-Dauzet. Mais d'où vient cette folie
collective [2]? » Elle vient d'une fiction commune qui
régit l'esprit de tous les personnages de sorte que
ceux-ci finissent par ne plus distinguer entre mensonge et vérité :

> *Il connaît désormais son récit par cœur; il a*
> *conscience de le répéter avec plus de naturel que ce*
> *matin... et quand on lui pose une question supplé-*
> *mentaire, il fournit le détail demandé sans se trou-*
> *bler, même s'il improvise. Cette fiction a pris peu*
> *à peu suffisamment de poids dans son esprit pour*
> *lui dicter automatiquement les bonnes réponses; elle*
> *continue d'elle-même à sécréter ses propres préci-*
> *sions et incertitudes [3]...*

Les Gommes devient une fiction contre la fiction.
Pour détruire tout un réseau de rites, de mœurs,
d'habitudes, de « lois littéraires », Robbe-Grillet
aura recours à ces mêmes lois; il les appliquera à
la lettre pour en dévoiler l'autorité naïve.

Quelle est la forme la plus autoritaire? La tragédie en cinq actes. Le lecteur s'y retrouvera comme
ramené au pays solide des ancêtres pour y jouir des

---

1. « Nature, humanisme, tragédie », p. 604.
2. *Les Gommes*, p. 143. Pareille folie n'est pas moins concevable
que les vaillants exploits de Don Quichotte contre une armée de
malfaiteurs imaginaires. Or, on sait que la fiction littéraire a puis-
samment contribué à la vision du monde de Don Quichotte.
3. *Ibid.*, p. 205.

malheurs et de la rédemption de l'homme. Le symbole le plus éloquent d'un tel homme, c'est Œdipe.

Robbe-Grillet ne lâche pas Wallas d'un pouce, il
ne le quitte pas pour un instant, il le surveille minutieusement et pas à pas, il rend scrupuleusement
compte de chacun de ses mouvements. Tout cet
effort porte à ne pas laisser à Wallas le temps d'un
alibi pour la culpabilité. Wallas n'aura pas un
moment hors du champ visuel de l'auteur, moment
auquel il pourra attribuer le lieu d'un crime. Il
n'aura ni un temps, ni un espace blanc, non sur-
veillé, temps et espace où il pourra situer le mystère,
la naissance d'un mythe. Wallas n'aura d'alibi pour
aucune « profondeur intérieure ». Aucune fatalité
grecque, aucun péché originel ne pèse sur lui, c'est
un anti-Œdipe dans le sens où il désavoue toute
hérédité historique, littéraire, psychologique. S'il tue
un homme à la fin du roman, et seulement à la
fin du roman, c'est précisément un acte qui annule
l'acte œdipien, le déclare non avenu. Si sa fonction
de détective le conduit à un crime, ce sera non pas
un *acte-destin*, mais bien plutôt un *acte littéraire*.
Wallas tue, non par ignorance, comme le fit Œdipe,
mais par un savoir « en trop ». Wallas, non moins
que les créatures secondaires du roman, « connaît
son récit par cœur ». La fiction lui dicte automa-
tiquement les bonnes réponses comme elle le fit
pour le docteur Juard.

> *Wallas se place derrière le dossier de la chaise et
> regarde vers la porte; c'est une bonne situation pour
> attendre l'arrivée du problématique assassin. Ce
> serait encore mieux d'éteindre la lumière; l'agent
> spécial aurait ainsi le temps de voir l'ennemi avant
> d'être découvert* [1]...

1. *Les Gommes*, p. 236.

Voilà les gestes et les pensées du détective Wallas
quelques instants avant de tuer et voilà les gestes
et les pensées de l'assassin que Wallas poursuit :

> *Debout derrière la table et tenant à deux mains*
> *le dossier de la chaise devant toi, tu enregistreras la*
> *position de tous les objets et celle de la porte... Quand*
> *tu seras parfaitement sûr de tout, tu iras éteindre le*
> *plafonnier... Ensuite tu reviendras, toujours par le*
> *même chemin, te placer derrière ta chaise, exactement*
> *dans la même position qu'auparavant* [1]...

Wallas refait non seulement les gestes et les pensées de Garinati, mais Garinati lui-même les avait
déjà simulés auparavant, et le premier simulacre de
Garinati n'était que la mise en scène des instructions de son chef. Garinati, nous dit-on, « a laissé
dans sa chambre les instructions écrites remises par
Bona, connues par cœur depuis longtemps [2]. »

Les gestes et les paroles de ces personnages ne
leur appartiennent pas. « De très anciennes lois
règlent le détail de [leurs] gestes [3]. » Cette phrase
se trouve à la première page du roman et ce thème
se prolongera tout le long du livre. De temps en
temps, il est amplifié par ce qu'on pourrait appeler
la maquette du roman qui en est une illustration,
procédé que Robbe-Grillet continuera à pratiquer
dans ses romans futurs :

> *Dans ce décor fixé par la loi, sans un pouce de*
> *terre à droite ni à gauche, sans une seconde de batte-*
> *ment, sans repos, sans regard en arrière, l'acteur*
> *brusquement s'arrête, au milieu d'une phrase... Il*
> *le sait par cœur, ce rôle qu'il tient chaque soir; mais,*
> *aujourd'hui, il refuse d'aller plus loin. Autour de*

---

1. *Les Gommes*, p. 15.
2. *Ibid.*, p. 30.
3. *Ibid.*, p. 1.

*lui les autres personnages se figent, le bras levé ou
la jambe à demi fléchie. La mesure entamée par les
musiciens s'éternise... Il faudrait faire quelque chose
maintenant, prononcer des paroles quelconques, des
mots qui n'appartiendraient pas au livret... Mais,
comme chaque soir, la phrase commencée s'achève,
dans la forme prescrite, le bras retombe, la jambe
termine son geste. Dans la fosse, l'orchestre joue
toujours avec le même entrain* [1].

De quel décor fixe, de quelle loi, de quel livret,
de quelle forme prescrite s'agit-il? Ce qui est évident, c'est que les personnages agissent, pensent,
conformément à ces lois et formes prescrites, ne
sachant même plus que leurs paroles et leurs actes
ne sont pas à eux, ce sont les paroles et les actes
des autres. Il convient donc de se demander si un
auteur se donnera la peine de décrire minutieusement, attentivement, des personnages-pantins, des
hommes-marionnettes pour nous faire croire à leur
réalité ou pour, au contraire, déclarer qu'il s'agit
là d'un monde auquel manque la liberté, un monde
figé qui survit mécaniquement à un mode d'être
révolu.

Le sens du titre est le sens littéral de « gommer »,
d'effacer cet héritage devenu hérédité, cette loi, ce
livret, ces formes prescrites dont parle le roman. S'il
en est ainsi, le roman devient une pantomine ironique qui mime le cérémonial culturel, les conventions littéraires, pour en démasquer l'inanité.

La première vue de Wallas est celle où il « s'adosse
au garde-fou [2] »; deux pages plus loin la sensation
d'instabilité est amplifiée en un danger imminent et
cela par une vision à la grecque de « monstres invi-
sibles » qui se trouveraient dans un petit canal d'une

1. *Les Gommes*, pp. 13-14.
2. *Ibid.*, p. 35.

ville nordique. Wallas, cette fois on ne peut plus en douter, est menacé par une grandiloquente conspiration cosmique :

> *Au-delà des chenaux et des digues, l'océan dé-*
> *chaîne le tourbillon sifflant des chimères, dont les*
> *enroulements se tiennent ici tapis entre deux ras-*
> *surantes parois. Il faut quand même y prendre*
> *garde et ne pas trop se pencher, si l'on veut éviter*
> *leur aspiration* [1]...

Robbe-Grillet continue-t-il la littérature du gouffre? Car c'est bien un tourbillon vertigineux qui s'apprête à engloutir Wallas. Un grand nombre de critiques lisent de tels lyrismes littéralement. Bruce Morrissette affirme que « l'aventure de Wallas dans *Les Gommes* est une version moderne de la tragédie d'Œdipe [2] ». Il est fort possible, puisque cela arrive à tant de lecteurs, de ne pas discerner derrière la parole, le but de la parole. Le roman est, pour ceux qui le veulent, tragédie à la grecque aussi bien que roman policier. Seulement, on ne voit pas pourquoi Robbe-Grillet aurait choisi d'écrire une tragédie grecque. Si le roman a réussi à camoufler si bien sa véritable intention qu'il faut le classer comme une tragédie à l'antique, comment alors se débarrasser des romans futurs de Robbe-Grillet ainsi que de ses essais théoriques qui témoignent sans ambiguïté aucune contre une interprétation naïve des *Gommes* comme roman ressuscitant la « légende classique à motifs mythiques et archétypiques [3] ». Une telle interprétation ne se défend pas, à moins de supposer que tous les essais théoriques de Robbe-

1. *Les Gommes*, p. 39.
2. « Clefs pour *Les Gommes* », dans *Les Gommes*, par Alain Robbe-Grillet, suivi de « Clefs pour *Les Gommes* », Paris, Collection 10/18, 1962, p. 284.
3. Bruce Morrissette, « Clefs pour *Les Gommes* », p. 286.

Grillet ont été écrits dans un esprit exactement
opposé à celui des *Gommes* et des autres romans
de Robbe-Grillet. Par quelle contradiction incompréhensible aurait-il procédé ainsi?

Loin de rivaliser avec la « grande littérature »,
dont la tragédie d'Œdipe serait le symbole et dont
la fonction, selon Robbe-Grillet, est la récupération,
Robbe-Grillet cherche, au contraire, à en démontrer
la naïveté et l'illusion :

> *Partout où il y a une distance, une séparation, un
> dédoublement, un clivage, il y a possibilité de les
> ressentir comme souffrance, puis d'élever cette souf-
> france à la hauteur d'une sublime nécessité. Chemin
> vers un au-delà métaphysique, cette pseudo-néces-
> sité est en même temps la porte fermée à tout avenir
> réaliste. La tragédie, si elle nous console aujourd'hui,
> interdit toute conquête plus solide pour demain.
> Sous l'apparence d'un perpétuel mouvement, elle
> fige au contraire l'univers dans une malédiction
> ronronnante. Il n'est plus question de rechercher
> quelque remède à notre malheur, du moment qu'elle
> vise à nous le faire aimer* [1].

Il faudrait retrouver le projet originaire des
Gommes pour déterminer si la critique est justifiée
à « tragifier » le roman de Robbe-Grillet malgré la
rigueur avec laquelle il a pris tant de précautions
contre la tragédie. La ténacité avec laquelle on
s'obstine à l'enfermer dans le réseau familier de la
tragédie rappelle cette psychologie charitable qui
pardonne à l'égaré parce qu'il ne sait pas ce qu'il
fait :

> *Je sais bien : rien que le fait de protester contre
> l'idée de tragédie est déjà être aux prises avec la
> tragédie; c'est la situation tragique par excellence.*

1. « Nature, humanisme, tragédie », p. 591.

> *Je l'ai déjà dit. Mais ce sont des points sur lesquels les humanistes et les chrétiens ont toujours raison; ils ont toujours cette phrase à vous jeter à la figure : si vous n'étiez pas dans les mains de Dieu* [1]...

Les Gommes est un roman de protestation contre la tragédie et non une imitation à la fois maladroite et ingénue que deviendrait ce roman si l'on admettait, avec Bruce Morrissette, que c'est

> *...une image... profonde de la condition humaine, où l'on discerne les origines anciennes de la légende d'Œdipe, découlant d'un mythe solaire (le meurtre du jour par la nuit)... aussi bien que ce « complexe » que la doctrine freudienne a isolé* [2]...

Replacer le romancier dans cette perspective-là, c'est aller à l'encontre de son projet, c'est le mettre de force dans une littérature qu'il repousse. *Les Gommes* est un exercice en ascétisme à l'égard de ces complexes et mythes que lui attribue Morrissette. Dans son étude intitulée « Clefs pour *Les Gommes* », Morrissette ne mentionne pas une des clefs les plus importantes, à savoir : l'ironie, la parodie, voire la farce. Cet aspect-là du roman est pourtant frappant : étant donné que les romans futurs de Robbe-Grillet ne manifesteront plus aucun de ces éléments. L'ironie y sera encore mais extrêmement discrète. Le premier roman, dirait-on, aura accompli sa tâche de liquidation, de sorte qu'il n'y aura plus besoin d'avoir recours à ces moyens de destruction.

L'art avec lequel Robbe-Grillet a distribué, à travers le roman, les allusions énigmatiques à la légende œdipienne, énigmatiques mais juste assez transpa-

---

1. Robbe-Grillet, « Entretien » (*L'Express*, 8 octobre 1959).
2. Bruce Morrissette, « Clefs pour *Les Gommes* », p. 285.

rentes pour que le lecteur se félicite de les dépister
et d'en saisir la « signification », ne laisse aucun
doute que cet exercice de destruction des réflexes
littéraires était extrêmement important pour lui.
Presque chaque page contient un puzzle culturel et
la complicité de l'auteur consiste à dire « que ce
symbolisme ne vous échappe point », mais cela doit
être traduit par « surtout, n'évitez pas ce piège » :

> *Au milieu de la place se dresse, sur un socle peu*
> *élevé que protège une grille, un groupe en bronze*
> *représentant un char grec tiré par deux chevaux,*
> *dans lequel ont pris place plusieurs personnages,*
> probablement symboliques [1]...

Ici, au début du roman, Robbe-Grillet aide le
lecteur à percer l'ironie en y attirant l'attention par
le sarcasme du « probablement symbolique ». Dans
toutes les autres références, le lecteur peut choisir
soit une libre interprétation d'une suite d'événements, soit l'appareillage de significations. En cela,
sa situation n'est pas très différente de celle du
héros : « Wallas se sent moins étranger dans cet
espace ainsi jalonné, il peut s'y déplacer avec moins
d'application [2]. » Quand nous nous emparons de la
rue de « Corinthe » pour corroborer notre première
intuition qu'il s'agit bel et bien d'un nouvel Œdipe,
nous suivons nos anciennes habitudes : il est plus
facile de suivre les jalons familiers que d'en trouver
de nouveaux. Mais les critiques qui brandissent
« Corinthe » comme une pièce à conviction passent
sous silence le fait que la topographie de la ville
inclut d'autres rues dont les noms sont aussi chargés
de mythologie que celui de Corinthe. Ils reviennent
aussi souvent que le nom de Corinthe et Wallas s'y

1. *Les Gommes*, p. 52 (c'est nous qui soulignons).
2. *Ibid.*, p. 54.

perd et s'y retrouve avec autant de facilité que dans
la rue de Corinthe. Ces noms-là ne sont ni moins ni
plus signifiants : rues de « Copenhague, de Berlin, de
Brabant, de Louis-V, de Christian-Charles, etc., etc. ».
L'ardeur avec laquelle les critiques saisissent ce
nom de Corinthe prouve que les pièges étaient tendus avec précision. Mais le lecteur a-t-il besoin
qu'on lui fournisse de tels repères symboliques : le
sphinx, l'énigme, un char grec signé Daulis, Thèbes,
une statue d'Apollon, une statue de Tirésias guidé
par un jeune enfant, l'oracle de Delphes, etc.; tous
ces signes sont donnés dans le roman. Aucun lecteur n'a besoin de tant de signes pour comprendre
qu'on veut lui parler d'Œdipe.

S'il subsistait encore un doute sur l'intention de
l'auteur, le signe gravé sur la gomme était la clef
décisive du mystère du roman. Malheureusement,
le héros ne se rappelle que les deux lettres centrales
de la marque du fabricant de ladite gomme. Ces
deux lettres, sauvées du subconscient, sont : « di ».
Il paraît — mais cela non plus n'est pas certain —
« qu'il devait y avoir au moins deux lettres avant
et deux autres après [1] ».

Une érudition, véritablement cabalistique, a été
mise en mouvement pour arracher à l'univers culturel les quatre lettres occultes. Or, maintenant,
plus de doute possible, c'est bien le nom d'Œdipe
qui y était gravé avant le fâcheux mais « significatif » défaut mnémonique de Wallas. La voix triom-
phante avec laquelle certains critiques rapportent
de leur sondage littéraire les quatre lettres perdues
rappelle les triomphes de ces « vaillants spéléo-
logues » dont parle précisément Robbe-Grillet et

---

1. *Les Gommes*, p. 122.

qui, dit-il, décrivent « les mystères qu'ils avaient touchés du doigt [1] ».

Pourtant, un reste d'humour aurait dû faire songer aux critiques qu'il y a des endroits plus appropriés qu'une gomme pour y graver le nom d'Œdipe, si, toutefois, Robbe-Grillet tenait absolument à graver ce nom quelque part. Il est possible, en effet, que cette gomme ait porté au moment de sa sortie d'usine le nom d'Œdipe. Mais s'il en fut ainsi, c'est pour servir de piège au lecteur. Les usines de gommes modernes sont, à ce qu'il paraît, d'une extrême coopération avec les romanciers. L'épisode de ces deux lettres ne se termine pas sans que l'auteur tente d'épargner au lecteur une recherche vaine et un peu humiliante. On nous dit notamment que Wallas lui-même est saisi de scrupules au sujet de la mythologie qu'il est en train de sécréter avec cette histoire de gomme. N'est-il pas

> *...à la recherche d'un objet fictif, attribué à une marque mythique dont on était bien empêché d'achever le nom — et pour cause!... — En ne donnant que la syllabe centrale de ce nom, il interdisait à sa victime de mettre en doute l'existence de la firme* [2].

Robbe-Grillet ne triche pas, il montre le masque qu'il porte. Il s'agit de lire l'avis au lecteur. C'est d'ailleurs un moment important du roman, un carrefour où lecteur et héros coïncident, où l'auteur parle du lecteur en parlant de son personnage. Mais loin de rétablir l'identité et la sympathie traditionnelles entre héros et lecteur, Robbe-Grillet ne les rapproche que pour qu'ils s'écartent violemment et presque honteusement l'un de l'autre. C'est un des passages les plus explicites où héros et lecteur

1. « Une voie pour le roman futur », p. 84.
2. *Les Gommes*, p. 123.

subissent la parodie : tous les deux s'acharnent à
chercher un objet fantôme, un objet mal inventé
à dessein.

Nous nous détournons maintenant de ce qui est
imprimé sur la gomme, pour considérer la gomme
elle-même. Dans son étude sur l'objet dans *Les
Gommes*, Roland Barthes déclare que « Robbe-
Grillet ne permet jamais un débordement de l'optique par le viscéral, il coupe impitoyablement le
visuel de ses relais [1] ». Roland Barthes est le critique
auquel Robbe-Grillet lui-même revient souvent; il
cite certains passages de Barthes en épigraphe à ses
essais théoriques. On peut donc supposer que les
analyses de Barthes ne vont pas à l'encontre des
intentions de Robbe-Grillet. Si l'effort de celui-ci
porte à couper le visuel de ses relais, une interprétation qui établira des liens symboliques entre la
perception et ce qui est perçu sortira par là du
roman de Robbe-Grillet. Or, si Robbe-Grillet a
choisi le sens de la vue pour ses rapports avec le
monde, c'est pour regarder les choses avec les yeux
et non avec l'esprit qui est déjà une présupposition
morale, psychologique, métaphysique. Le personnage de Robbe-Grillet a pour activité principale la
marche (quand on marche, on n'a pas le temps
d'approfondir les choses); la marche dans une ville
c'est, avant tout, la vue des façades de la ville. Le
personnage se trouve devant des surfaces. La marche
et le spectacle sont, pour Robbe-Grillet, des moyens
pour empêcher que le temps fasse boule de neige
et devienne durée. Pour Bruce Morrissette, la gomme
que cherche Wallas est le signe d'une « ontologie
néoexistentielle [2] ». Ce terme permet les interpréta-

---

1. « Littérature objective » (*Critique*, août 1954, p. 584).
2. « Clefs pour *Les Gommes* », p. 300.

tions suivantes de la gomme : 1° elle est « fonc-
tionnement dans le creuset analogique du mythe
œdipien du roman [1] »; 2° elle « s'accompagne d'une
poussée de désir érotique — désir qui, devenant de
plus en plus intense, constitue un véritable corré-
latif objectif du thème de l'inceste...; [3°] soit tac-
tilement (érotisme de la substance molle), soit idéo-
logiquement (parallélisme du destin destructeur), la
gomme se charge d'émotions projetées [2] ». Bruce
Morrissette attribue à la gomme une épaisseur culturelle étonnante, l'insérant dans une superstructure
de significations traditionnelles. Pour décrire un
objet, Robbe-Grillet se place en face de l'objet; pour
la gomme, il aurait fait exception et se serait placé
à l'intérieur de l'objet, car il faut bien se placer à
l'intérieur de l'objet pour en ramener toute cette
prétendue richesse et profondeur. Rien n'est plus
contraire au dessein de Robbe-Grillet que de pratiquer pareille complicité avec l'objet, avec l' « âme
cachée des choses ». Toute sa critique de *La Nausée*
cherche précisément à discréditer l'intimité psychologique et métaphysique entre les objets et l'homme :

> *Que nous propose... La Nausée? De toute évi-*
> *dence, il s'agit de relations avec le monde strictement*
> *viscérales, écartant tout effort de description... au*
> *profit d'une intimité louche... Il est significatif que*
> *les trois premières perceptions enregistrées au début*
> *du livre passent toutes par le sens du toucher, non*
> *par le regard* [3].

La gomme, telle que la veut Wallas, est un objet
tactile, viscéral, intime, louche, choisi par Robbe-
Grillet pour servir, non pas de continuité avec le

1. « Clefs pour *Les Gommes* », p. 296.
2. *Ibid.*, p. 298.
3. « Nature, humanisme, tragédie », p. 594.

roman sartrien, comme le veut Morrissette [1], mais,
au contraire, pour signifier une rupture avec ce
roman. Il est toutefois vrai que l'attitude de Robbe-
Grillet envers Sartre est ambiguë. Elle est pleine de
cette révolte qu'on éprouve contre celui à qui l'on
doit beaucoup. Car c'est bien Sartre, qui a, comme
on l'a vu ci-dessus, découvert le pouvoir autonome
de l'objet. Mais il suffit d'ouvrir *La Nausée* pour
mesurer la grande différence romanesque entre les
deux attitudes devant l'objet : celle de Sartre penche
vers une complicité romantique.

Si on lit attentivement le texte qui décrit la
gomme, on comprend pourquoi Robbe-Grillet l'a
désignée comme un objet fictif. Les qualités qu'attribue Wallas à la gomme qu'il cherche (il dit clairement qu'il « n'a besoin d'aucune autre — même
si elle lui ressemblait par certains côtés — mais de
celle-là [2] »), les qualités stipulées par Wallas sont
contradictoires, et s'annulent réciproquement aboutissant à un non-objet, à un objet mythique :

> *...une gomme douce, légère, friable, que l'écrasement
> ne déforme pas mais réduit en poussière; une gomme
> qui se sectionne avec facilité et dont la cassure est
> brillante et lisse, comme une coquille de nacre* [3]...

Pourquoi Wallas ne veut-il d'autre gomme que
celle-là, qui serait à la fois *mollesse et coquille de
nacre* ? Pourquoi ne s'accommode-t-il pas de ce qu'il
trouve pour qu'on n'en parle plus ? Parce que, au
fond, Wallas ne veut pas de gomme, il n'en a que
faire; ce qu'il veut c'est cette distance entre mollesse et coquille de nacre, la gomme idéale, la distance malheureuse.

---

1. « Clefs pour *Les Gommes* », p. 297.
2. *Les Gommes*, p. 123.
3. *Ibid.*, p. 122.

La raison pour laquelle une certaine critique a
pu déclarer que Wallas est un nouvel Œdipe vient
de ce que Raymond Aron appelle une « illusion de
fatalité » : « La rétrospection crée une *illusion de
fatalité* qui contredit l'impression contemporaine de
contingence [1]. » Le grand piège du roman c'est cette
rétrospection sur le roman dans laquelle le lecteur
était sûr de s'exclamer : « Ah! je le savais tout le
temps, c'est bien la tragédie d'Œdipe. » Et s'il
subsistait encore un petit doute au sujet de l'identité de Daniel Dupont, désormais tout est clair :
Dupont *est* le père de Wallas, autrement tout est
un contresens.

Mais, précisément, c'est un contresens, un hasard,
et notre besoin de récupérer la mort en la transfor-
mant en un parricide est ici délibérément contrarié.
Nous n'avons aucune preuve que Wallas soit le fils
de Dupont et l'ordre du roman veut que nous n'en
ayons pas. Ce que nous savons, par contre, c'est
que l'idée d'Œdipe s'est glissée dans la tête du lecteur dans cette « rétrospection », que la fatalité, la
prédestination, le destin inéluctable, le complexe
d'Œdipe, la condition humaine, le péché originel ont
été créés tous et d'une pièce dans cette rétrospection. L'extraordinaire unanimité que manifestent les
critiques, dans le choix qu'ils ont fait entre les deux
« dictons » inventés par Robbe-Grillet, est remarquable :

> « *On s'acharne quelquefois à découvrir un meur-
> trier...* » On s'acharne à découvrir le meurtrier, et
> le crime n'a pas été commis. On s'acharne à le décou-
> vrir... « *...bien loin de soi, alors qu'on n'a qu'à
> tendre la main vers sa propre poitrine* [2]*...* »

1. *Introduction à la philosophie de l'histoire*, Paris, Gallimard,
1938, p. 181.
2. *Les Gommes*, p. 255.

Pendant toute la durée où Wallas s'acharne à découvrir le meurtrier, le crime n'avait pas été commis, le lecteur le sait tout au long du roman. Comment expliquer alors ce refus délibéré de la première version quand tout l'intérêt du roman est dans cette version-là? Le parti pris avec lequel on ignore la première formule cache toute une métaphysique : refus du fait brut, refus de la description qui ne renvoie à rien.

Aussi se hâte-t-on de rajuster les faits, de les changer en faits de finalité. Ce que Claudel attribue au caractère français est, au fond, propre à tout lecteur de romans : « S'il y a un trait du tempérament français particulièrement frappant..., c'est ce que j'appellerai le *besoin de la nécessité.* Le Français a horreur du hasard, de l'accidentel et de l'imprévu [1]. » De fait, interpréter le roman, selon la première version de la sentence, c'est annuler le roman. Or cette annulation du roman par le roman est précisément l'intention des *Gommes.* « Je voulais raconter une histoire qui se détruisait elle-même au fur et à mesure... », dit Robbe-Grillet des *Gommes* [2]. Dans la perspective du roman traditionnel, *Les Gommes* cesse d'être un roman si l'acte de Wallas est accidentel au lieu d'être un acte nécessaire, prévu de tout temps, un acte auquel il était prédestiné et dont l'accomplissement confirme l'ancien ordre des choses, les prédictions de l'oracle et les pressentiments du lecteur. Non, Wallas a tué un homme *par accident* et c'est tout. Il faut enlever à cet acte, non seulement toute signification de tragédie classique mais encore l'auréole d'un acte gratuit ou d'un

---

1. *Positions et propositions*, Paris, Gallimard, 1928, p. 18-19.
2. Cité par M. Chapsal, « Le Jeune Roman » (*L'Express*, 12 janvier 1961).

acte absurde. C'est un acte de défense, et la maigreur, la pureté de cet acte n'auraient jamais pris
plus de quelques secondes — le temps qu'une balle
met pour parcourir trois ou quatre mètres — si
tout un appareillage humain, psychologique et métaphysique n'en avait pas retardé le trajet.

LANGAGE REÇU
ET PAROLE NEUTRE

> *...il répugne à les nommer, moins par méfiance*
> *professionnelle que par désir de rester dans une*
> *neutralité commode* [1]*...*

La neutralité de langage dans laquelle Wallas
désire de se maintenir, dans laquelle il aurait souhaité
de demeurer, est le point vers lequel tend le roman.
C'est un point de désengagement, de désengagement
relatif au langage. Le langage est une vieille insti-
tution qui terrorise les écrivains depuis quelque
temps déjà. Il n'y a pas longtemps, Beckett a donné
à un de ses livres le titre : *L'Innommable*, livre où
le langage devient vertige : « ...je suis fait de mots,
des mots des autres... des mots... je suis tous ces
mots, tous ces étrangers, cette poussière de verbe,
sans fond où se poser [2]... ».

Au temps neutre auquel nous avions apposé un
temps « en trop », nous allons ici donner en parallèle la parole neutre et le langage reçu. Dans un
certain sens, tout le roman n'est rien d'autre qu'un
combat entre cette parole et ce langage. La parole
est un geste, une articulation première. Le langage

---

1. *Les Gommes*, p. 44.
2. *L'Innommable*, Paris, éd. de Minuit, 1953, p. 204.

est parole déjà « instituée [1] ». L'attitude phénoménologique exige l'abandon du langage gonflé de signification au profit d'un retour à la parole. La parole est origine, le langage se perpétue dans les sillons de significations déjà creusés, il est donc mouvement pour rien, expression en trop [2].

Le langage déjà institué est, du point de vue où se place *Les Gommes*, un véhicule de malheurs et de tragédie. Ce roman est une démonstration de la puissance vertigineuse du langage à remplir avec une prodigieuse rapidité le vide que celui qui écrit s'efforce à sauvegarder.

Pareille entreprise rencontre des difficultés immenses. Elles se dressent à chaque déclaration, à chaque phrase descriptive aussi simple qu'elle soit. L'écrivain, contrairement au musicien, au peintre, travaille avec des mots. Or, les mots ne lui appartiennent pas. Ce sont les mêmes mots qu'ont employés Racine, Lamartine, Balzac, Flaubert et Sartre; ce sont les mêmes mots qu'emploient tous ces contemporains : ils sont la propriété de tout le monde. Ils apportent avec eux ce que Merleau-Ponty appelle

1. « Nous vivons dans un monde où la parole est « instituée ». Pour toutes ces paroles banales, nous possédons en nous-mêmes des significations déjà formées. Elles ne suscitent en nous que des pensées secondes; celles-ci à leur tour se traduisent en d'autres paroles qui n'exigent de nous aucun véritable effort d'expression et ne demanderont à nos auditeurs aucun effort de compréhension » (Merleau-Ponty, *Phénoménologie de la perception*, p. 214).
2. « L'intellectualisme systématique de la civilisation du livre a commencé par submerger, sous l'amoncellement des idées et des mots, le capital authentique de la sensibilité personnelle, nourrie d'expérience vécue. Idées et mots nous permettent de penser et d'exprimer, à la manière des autres, non seulement ce que nous éprouvons, mais aussi ce dont nous n'avons qu'une notion abstraite et artificielle, empruntée » (R. Huyghe, *Dialogue avec le visible*, Paris, Flammarion, 1955, p. 63).

leur « disponibilité [1] ». Chaque mot est une signification disponible et non pas une mais multiple.
En reprenant un mot que Baudelaire avait prononcé, l'écrivain n'est pas protégé contre le lecteur,
rien ne lui garantit que le lecteur ne l'entraînera
pas dans le gouffre baudelairien bien que l'auteur
ait ordonné ses mots de telle sorte que la malédic-
tion ne puisse pas s'y glisser. C'est pour abolir
le vocabulaire du gouffre que Robbe-Grillet aura
recours à la description de l'espace. L'espace délivre
du temps :

> *Autrefois il lui est arrivé trop souvent de se laisser
> prendre aux cercles du doute et de l'impuissance,
> maintenant il marche; il a retrouvé là sa durée [2].*

Faire table rase de la durée, commencer une nouvelle vie, comme on dit, qui mettra la marche, le
déroulement des façades, de pures surfaces à la
place de l'épaisseur temporelle qui lui avait été
catastrophe, voilà ce que décide Wallas. Mais au
moment suivant il lui faut demander son chemin.
Après une longue marche, il s'est retrouvé au point
de départ. Le passage où Wallas se trouve dans la
nécessité de composer une phrase pour demander
son chemin est un des meilleurs du livre. Il trahit
une maîtrise de la forme et une précision dans le
dessein vraiment rares dans un premier roman : « il
n'a pas pour l'instant de but précis [3] ». Il s'agit
de Wallas. Un homme de notre société peut-il se
permettre pareil langage? Peut-il dire : « Madame,
je n'ai pas de but précis, pourriez-vous m'indiquer
le chemin? » Plus tard, Wallas devra se rendre aux
bureaux de la police. Mais un homme moderne ne

---

1. Merleau-Ponty, *Signes*, Paris, Gallimard, 1960, p. 113.
2. *Les Gommes*, p. 42.
3. *Ibid.*, p. 44.

peut pas demander impunément le bureau de la
police. Ce lieu signifie telle et telle chose, on ne
prononce pas ce mot sans s'inculper. Il devra également se rendre au Palais de Justice. Mais « son
maigre renom artistique ne suffit pas à motiver
l'intérêt qu'il semblerait y prendre [1] ». Sans l'alibi
d'un intérêt artistique, le Palais de Justice n'est pas
un mot neutre qu'on prononce à la légère. On ne
le dit pas non plus sans « éveiller la crainte, ou
simplement la curiosité [2] ». De quelque façon qu'il
tournât ses phrases, Wallas se trouvait renvoyé à
un cadre de significations suspectes. Il opte donc
pour l'endroit le plus neutre : la poste. Mais, dès
qu'il eut posé sa question, on conclut qu'il cherchait
à envoyer un télégramme. Tout le monde sait qu'à
cette heure-là les postes sont fermées : « Sa question avait donc un sens [3] ? » s'étonne Wallas, et il
est aussitôt obligé de se laisser enfermer dans cet
ordre d'idées qu'il vient lui-même de sécréter par
le mot « poste ».

> *Oui, précisément, il doit y avoir une poste ouverte
> pour les télégrammes.*
> *Cette déclaration semble malheureusement attirer
> la sympathie de la dame...*
> — *Rien de grave, j'espère? dit la dame.*
> . . . .
> — *Non, non, dit-il; je vous remercie.*
> . . . .
> *Voilà ce que c'est que d'inventer des histoires. A
> qui enverrait-il donc un télégramme, et pour annon-
> cer quoi? Par quel biais pourrait-on revenir en
> arrière [4]?*

1. *Les Gommes.*
2. *Ibid.*
3. *Ibid.*, p. 45.
4. *Ibid.*

On aura remarqué ici l'extrême difficulté d'une parole neutre, d'une parole univoque, qui ne s'ouvre pas à une série d'au-delà. Wallas n'a rien négligé pour garder sa neutralité commode; pour la garder, il a même inventé une histoire. Mais il n'en fallait pas plus; ce premier mensonge a mené Wallas à un deuxième mensonge, le deuxième à un troisième et ainsi de suite jusqu'au terme de son itinéraire. Tout au long du roman, Wallas ne fera plus rien d'autre qu'inventer des histoires jusqu'à ce qu'il ne soit plus capable de revenir en arrière pour retrouver l'origine des choses. Le lecteur, conditionné par une littérature d'identification avec le héros, croira à ces histoires, s'y perdra avec Wallas comme dans du sable mouvant. La littérature nous a habitués, non pas simplement à lire un livre, mais à *read into* le livre. Pour bien rendre l'expression anglaise, il faudrait dire qu'elle nous a conditionnés non pas à « voir » ce qui se passe dans un livre mais à lire ce qu'il y a au-delà du langage [1]. Au début du roman, Wallas sait que la disponibilité du langage est chose dont il faut se méfier. Chaque mot est une atmosphère dangereuse. Cherchant encore à justifier son ignorance de la topographie de la ville, il pense un moment à se déguiser en touriste. Mais le mot « touriste » a, dans une petite ville ouvrière, une portée linguistique bien plus complexe que le mot « poste » :

> *Quant à se faire passer pour un touriste, outre l'invraisemblance du prétexte à cette époque de l'année dans une cité complètement dépourvue d'attraits pour un amateur d'art, cela présentait des dangers encore plus grands; où l'auraient alors*

---

1. C'est dans ce sens que dans le cinéma, la simple présence de l'image est si instructrice, si apte à corriger le lecteur du roman.

*mené les questions de la dame, puisque la poste avait
suffi à faire naître le télégramme [1]...*

C'est bien de dangers qu'il s'agit dans ce
commerce linguistique et, si Wallas en est si conscient, c'est qu'il mesure le pouvoir du langage à enlever sa liberté à l'homme [2]. Wallas se défend contre le
langage comme le fait un autre personnage du
roman : « N'y mettez pas trop de détails; vous
finiriez par me faire croire que j'ai assisté à tout
le drame [3]. »

Wallas, pourtant, en arrive à un moment où le
langage tout fait, tout préparé, est une délivrance.
Il suffit de le prononcer pour que les choses se
remettent à leur place ou, plutôt, il donne aux
choses qui n'en ont pas, une catégorie, une signification à l'aide desquelles les choses sont arrachées
à leur contingence inquiétante. Il en arrive à ne
plus lutter contre le langage, il s'y soumet comme
un malade à l'infirmière :

> *A mesure qu'il parlait, il sentait de plus en plus
> le caractère incroyable de son récit. Peut-être, d'ail-
> leurs, cela ne tenait-il pas aux mots qu'il employait :
> d'autres, choisis avec plus de soin, auraient eu le*

1. *Les Gommes*, pp. 49-50.
2. Quel homme jeune, qui a lu Sophocle et Freud, garde une bonne
conscience dès qu'on se met à parler d'une mère et d'un fils en sa
présence? Ch. Blondel voit un rapport prodigieux entre le langage
et la réalité. « Le néophyte de Freud, dit-il, n'a naturellement pas
oublié qu'il aimait bien sa mère quand il était petit, et un des articles
de sa foi nouvelle veut que l'amour filial à cet âge soit toujours plus
ou moins incestueux. Fort de ce commandement, il redescend dans
son passé et découvre, à la source de son amour pour sa mère, quelque
chose de l'attrait qu'il se connaît aujourd'hui pour le sexe. Le petit
enfant qu'il a été se révèle donc un Œdipe par persuasion... devient
de fait un Œdipe : la vertu de l'analyse y a suffi » (*Introduction à la
psychologie collective*, Paris, Librairie Armand Colin, 1952, p. 164).
3. *Les Gommes*, p. 103.

> *même sort; il suffisait de les prononcer pour qu'on*
> *n'ait plus envie de les prendre au sérieux. Wallas*
> *en arrivait ainsi à ne plus essayer de réagir contre*
> *les formules toutes faites qui lui venaient naturelle-*
> *ment à l'esprit; c'étaient elles en somme qui conve-*
> *naient le mieux* [1].

Les formules toutes faites auxquelles Wallas
s'abandonne apparaissent finalement comme des
réalités. Réagir contre ces formules, contre le langage qui les constitue, c'est mettre en cause tout
ce qu'elles représentent. Les formules toutes faites
c'est ce qui reste quand on a tout oublié ou quand
on n'est pas en mesure de se placer devant l'inconnu pour lequel il n'y a pas de mots déjà parlés.

L'objet destructeur du langage.

Il est significatif qu'immédiatement après cette
abdication linguistique de Wallas, qu'immédiatement après qu'il eut avoué que les formules toutes
faites lui convenaient le mieux, que c'est à ce
moment-là que réapparaît l'image des ruines de
Thèbes [2]. La répétition du thème grec, le retour du
même souvenir se manifestent sous forme d'objets
et de leur altération progressive. La technique de
l'altération phénoménologique de l'objet n'est pas
encore pleinement autonome dans ce roman.

Dans *Les Gommes*, l'objet n'a pas encore atteint
son statut d'indépendance à l'égard de l'homme.
L'objet, dans ce roman, est encore là en fonction
du langage. Il sert à liquider le langage, il apparaît

---

1. *Les Gommes*, p. 164.
2. Cette persistance de la même image a évidemment raffermi les
critiques dans leur analyse du complexe et du crime œdipiens.

dans le langage pour évincer le langage. Si cela n'est
pas apparent au premier abord, c'est que l'ironie
de Robbe-Grillet est une des plus inquiétantes pour
le critique et une des plus déconcertantes pour le
lecteur de romans. C'est une ironie qui, dans l'en-
thousiasme de la bataille, oublie un peu la fin qu'elle
s'était proposée [1].

Contrairement aux objets dans les romans ultérieurs de Robbe-Grillet, ceux qu'on trouve dans *Les
Gommes* ne sont ni des objets d'ordre onirique dont
se font les rêves ni des objets modestes de la vie
quotidienne. Ces objets sont empruntés au domaine
culturel et sont, non moins soigneusement situés
dans des cadres artificiels. Objets et cadres sont,
en effet, si surchargés d'étiquettes symboliques qu'on
a l'impression de se mouvoir dans un univers de
fantômes où l'ombre renvoie à une autre ombre, où
l'on ne trouve plus un pouce de terre solide pour
s'y accrocher.

En guise d'épigraphe, Robbe-Grillet donne à son
roman une phrase de Sophocle : « Le temps, qui
veille à tout, a donné la solution malgré toi. » Une
traduction scolaire d'*Œdipe roi* rend ainsi le texte
original : « Le Temps, qui voit tout, a découvert
malgré toi ce mystère. » Le décalage entre la version
de Robbe-Grillet et l'original est que le grec parle
d'un « mystère », celle de Robbe-Grillet d'une solution qui peut être solution d'un problème ou d'un
faux problème. Mais le véritable intérêt de cette
épigraphe se révèle dès qu'on la compare au texte
qui se trouve à la page suivante, soit, la première
page du roman : « Bientôt malheureusement le

---

1. La définition de l'ironie de Sartre convient au procédé de
Robbe-Grillet : « Dans l'ironie, l'homme anéantit, dans l'unité d'un
même acte, ce qu'il pose; il donne à croire pour n'être pas cru, il
affirme pour nier et nie pour affirmer » (*L'Être et le néant*, p. 85).

temps ne sera plus le maître... » Le temps grec
« voyait » tout, il était maître de tout, c'est l'homme
qui était — pour un moment passager — aveugle,
c'est Œdipe. Dans le roman de Robbe-Grillet, c'est
le temps qui est menacé, qui n'est plus le maître.
Il y a donc une inversion absolue de l'ordre grec.
Tout le roman reflétera cette inversion. Ce qui sera
à gauche, Robbe-Grillet le mettra à droite et vice
versa, comme on peut le voir dans la désormais
célèbre description de la glace de la cheminée [1]. Ce
jeu de formes est une mystification pareille à celle
qu'ont pratiquée les peintres abstraits. La pipe, le
verre, la bouteille, le journal, etc., dans le tableau
abstrait, servent à replacer le spectateur dans son
monde familier, monde dans lequel il reconnaît tous
ses objets. Et combien de spectateurs quittent de
tels tableaux contents d'avoir reconnu, identifié tous
les objets. C'est avec joie, également, que certains
critiques ont identifié Wallas par l'identification des
objets reflétés dans la glace : la statuette d'un vieil
aveugle guidé par un enfant, le bougeoir de cuivre,
la statuette d'Apollon écrasant un lézard, etc. Une
main change la position des objets en mettant à
gauche ce qui était à droite, à droite ce qui était
à gauche. Les critiques se refusent systématique-
ment à noter que, parmi ces objets, se trouvent un
cendrier et un pot à tabac. Ils se refusent également
à noter le geste de la main mettant à gauche ce
qui était à droite. Tout ce qu'ils consentent à remarquer c'est, évidemment, l'objet qui signifie. On n'a
pas à s'occuper des choses, seulement des significa-

1. Des hypothèses diverses ont été émises au sujet de cette des-
cription, toutes causées par des réflexes littéraires, voir par exemple :
Ben F. Stoltzfus, « *Le Voyeur*, by Alain Robbe-Grillet » (*P. M. L. A.*,
September 1962); Bruno Hahn, « Plan du *Labyrinthe* de Robbe-
Grillet » (*Les Temps modernes*, juillet 1960); et Bruce Morrissette
dans « Clefs pour *Les Gommes* ».

tions. Ces objets-significations nous livrent, bien entendu, l'Œdipe tant recherché.

C'est pourtant le pot à tabac et le cendrier qui intéressent Robbe-Grillet, des objets innocents, des objets qui ne sont pas porteurs de fables. Seuls les objets ainsi désencombrés seront capables de nouveaux rapports.

La première des trois visions de Wallas est une vitrine représentant un « artiste-mannequin » devant son chevalet. Il dessine un paysage, mais ce paysage n'est qu'une copie du maître. Ce paysage, toutefois, n'est pas en réalité un paysage; c'est un amas de franges culturelles : ruines d'un temple grec, colonnes gisant par terre, arcs de triomphe, etc. L'artiste-mannequin prend du recul comme pour bien voir si la campagne, qu'il est en train de peindre, est vraiment fidèle à celle qu'il copie. Mais ce qu'il copie n'est nullement une campagne hellénique : c'est une photographie d'un carrefour au xxe siècle. Cette photographie moderne, d'un pavillon moderne, est, le texte l'affirme, « la négation du dessin censé le reproduire [1] ». Naturellement, Wallas reconnaît le pavillon, c'est celui de la victime et Wallas est justement là pour en découvrir l'assassin. Mais à peine eut-il reconnu dans ce pavillon le pavillon de la victime, qu'il s'écrie : « Évidemment. » Toute la perception de Wallas était factuelle, neutre, lucide; elle était libre de toute intimité psychologique. Wallas explorait les surfaces sans s'enfoncer dans les profondeurs. Il marchait, il regardait, sa conscience devant les objets était conscience et pas mémoire; son attitude était irréprochable; il fait même une excellente observation, chère à Robbe-Grillet, sur le rapport entre le panorama et le dessin censé le

1. *Les Gommes*, p. 121.

reproduire quand, en réalité, il reproduisait quelque
chose d'entièrement différent.

Mais dès que Wallas eut prononcé « évidemment »,
il était perdu. Ce seul mot a creusé un abîme, là
où il n'y avait auparavant que surfaces ou rapports
de pure facticité : la vitrine s'est transformée en
mythologie. « Évidemment » est un alibi, un de ces
alibis que Robbe-Grillet veut supprimer à tout prix :

> ...le surcroît de valeur descriptive n'est... qu'un
> alibi : les vrais amateurs de métaphore ne visent
> qu'à imposer l'idée d'une communication [1].

Le « évidemment » de Wallas est ce surcroît, cette
tendance insidieuse du langage qui commence par
un adverbe à l'air innocent, mais cet adverbe ajouté,
continue ensuite sa besogne et entame progressivement l'ordre solide des choses. C'est cet « évidemment » qui conduit Wallas « sournoisement [2] » à sa
deuxième vision de la même vitrine. Mais, cette
fois-ci, il ne s'agit plus du tout de la vitrine. Wallas
ne s'y intéresse plus en tant que vitrine. Il ne la
regarde plus en tant qu'objet autonome. Il commence à la *voir* comme « gouffre où se loger [3] ».
« Évidemment », cela veut dire qu'il y a évidence.
Évidence de quoi? Qu'il y a des rapports entre lui
et cette photographie, peut-être des rapports profonds. Elle était là pour lui cette photo, elle l'attendait depuis toujours, comment ne l'a-t-il pas vue
tout de suite? Et cette peinture de Thèbes? Quoi
de plus évident? Ce n'est pas par hasard que ce
mannequin-peintre dessinait cette scène-là. C'est de
la prédestination, de la complicité.

La deuxième vision de Wallas a lieu loin de l'en-

1. « Nature, humanisme, tragédie », p. 585.
2. *Les Gommes*, p. 2.
3. « Nature, humanisme, tragédie », p. 589.

droit où Wallas avait aperçu la vitrine : « Les ruines
de Thèbes. Sur une colline qui domine la ville [1]... »
Comment est né le drame? Car c'est bien au cœur
d'un drame qu'on se trouve. Thèbes, ce n'est pas
une ville, ce n'est pas un lieu dans l'espace géo-
graphique qui serait sans danger pour l'homme.
C'est un mot à épaisseur sémantique infinie. C'est
un mot à résonance à enchanter Baudelaire. C'est
un symbole, une fable, une morale, une métaphysique, c'est une condition humaine. Le lecteur n'a
que l'embarras du choix. Il peut y choisir sa patrie
spirituelle selon ses penchants. Wallas a choisi de
se rattacher un peu à toutes les catégories au lieu
de constater que c'est une vitrine. Si Wallas n'était
pas une création ironique, il se serait arrêté aux
formes sans les surcharger de catastrophe :

> *Et cette absence de signification, l'homme d'au-
> jourd'hui (ou de demain...) ne l'éprouve plus comme
> un manque, ni comme un déchirement. Devant un
> tel vide, il ne ressent désormais nul vertige. Son
> cœur n'a plus besoin d'un gouffre où se loger* [2].

Mais Wallas, comme beaucoup de lecteurs, refuse
de renoncer à l'objet-fable, à l'objet qui raconte des
histoires, comme le fait tout objet traditionnel. L'attitude traditionnelle dédaigne l'objet; si elle consent
à y poser le regard, c'est uniquement pour lui confier
ses secrets lyriques ou métaphysiques. La neutralité de l'objet que vise Robbe-Grillet rencontre
auprès du lecteur une étonnante résistance. En cela
lecteur et héros des *Gommes* ne diffèrent pas. C'est
ainsi que la conscience de Wallas, comme celle des
lecteurs, n'est pas devant l'objet : elle est devant
ces images de culture. L'objet n'est que prétexte, une

---

1. *Les Gommes*, p. 167.
2. « Nature, humanisme, tragédie », p. 589.

chiquenaude qui déclenche les associations condi-
tionnées. Or, l'objet de Robbe-Grillet ne veut pas
se faire instrument de contrebande psychologique
ou métaphysique. Il cherche, au contraire, à guérir
des images-préjugés. C'est pourquoi il n'y a pas
d'unité entre objet et langage dans *Les Gommes*, il
y a au contraire différenciation, opposition. L'objet,
ici, n'est ni mystère ni profondeur; il est mystification.

Les ruines de Thèbes reçoivent ici, à titre mystificateur, le rôle classique de messager d'essences. Si
l'on compare cet objet intitulé « ruines de Thèbes »
avec un objet racinien, on verra que l'analogie existe
et qu'elle est mystificatrice. Prenons le mot « sang »,
par exemple, employé par Racine. Le mot « sang »
subit ici l'attitude classique typique devant l'objet :
« Je suis le dernier sang du malheureux Laïus [1]... »;
« ...vous êtes le sang d'Atrée et de Thyeste [2] »;
« Fidèle au sang d'Achab [3]... »; « Triste et fatal
effet d'un sang incestueux [4]. » Personne ne s'arrête
ici au mot sang, en tant que liquide rouge, matière
biologique, élément concret. Sang ici n'est qu'un
alibi à mythologie, alibi à « mythologiser ». Ce sont
les adjectifs qui fondent le substantif de telle sorte
que le nom « Laïus » n'est, lui aussi, qu'un adjectif.
Laïus, c'est une essence, une fable, c'est le père
d'Œdipe. Atrée et Thyeste impliquent (à condition
d'être au courant de la mythologie) une fatalité
contre laquelle l'homme ne peut rien.

Il se reconnaît dans cette légende et, dès qu'il s'y
reconnaît, il est inutile de lutter contre son destin.
Le dernier exemple les résume tous, la fatalité ou

1. *La Thébaïde*, acte V, sc. VI.
2. *Iphigénie*, acte IV, sc. IV.
3. *Athalie*, acte V, sc. VI.
4. *La Thébaïde*, acte IV, sc. I.

l'impossibilité de l'homme racinien d'échapper à sa
condition. Le sang est l'objet choisi pour signifier
cette impasse métaphysique, cette tragédie [1].

L'objet stendhalien entre dans un climat idéologique; il représente la tension sociale, économique,
politique de son époque. Si Stendhal décrit un oiseau,
c'est parce que c'est un aigle, symbole de l'individu
supérieur. Le vêtement décrit est uniforme ou sou-
tane, la maison décrite est cabane de pauvre ou
hôtel somptueux, bref l'objet stendhalien est un
signe militant. L'objet balzacien, on le sait, est
inséré dans une hiérarchie à la fois sociale et cosmo-
logique. Il n'est donné que pour imposer une théorie :
« La salle où suinte le malheur, où s'est blottie la
spéculation... toute sa personne explique la pension,
comme la pension implique sa personne [2]. » Si l'on
étudiait le « réalisme » balzacien du point de vue
de l'objet, on verrait combien est relative la notion
du réel. Il y a dans le réalisme de Balzac un haut
degré d'abstraction. La salle elle-même n'est pas
décrite. On ne sait rien sur ses dimensions, ses
fenêtres, portes, murs, etc. Elle sert de réceptacle
à des idées et à des métaphores telles que « la spéculation se blottit », ou aux idées que se faisait le
réalisme du XIXe siècle sur les rapports entre l'individu et la société.

A travers le roman de Robbe-Grillet, le monde
reprend son bien à la littérature. Il s'y fait une

---

1. Un équivalent de l'objet classique littéraire serait, par exemple,
un tableau comme l'*Apothéose d'Homère* par Ingres. Ce tableau est
une illustration idéale de l'objet en fonction du langage, des phrases
que le spectateur doit se dire avant d'apprécier ce tableau. Les objets
y sont uniquement objets de culture. Que ferait un œil non érudit
devant ce tableau? Cette peinture n'est, en vérité, compréhensible
qu'à un homme d'érudition. Après *Les Gommes*, le roman de Robbe-
Grillet voudra être lu sans dictionnaire culturel.

2. *Le Père Goriot*, Paris, éd. Garnier Frères, 1950, p. 8.

séparation sans drame et sans plainte entre l'homme
et l'univers. Dans la description de Robbe-Grillet,
il ne reste rien de ce « pari poétique » où l'écrivain
faisait comme s'il croyait à des liens spirituels entre
l'homme et les choses :

> *On voit à quel point l'idée d'une* nature *humaine
> peut être liée au vocabulaire analogique. Cette nature,
> commune à tous les hommes, éternelle et inaliénable,
> n'a plus besoin d'un Dieu pour la fonder. Il suffit
> de savoir que le mont Blanc m'attend au cœur des
> Alpes depuis l'ère tertiaire, et avec lui toutes mes
> idées de grandeur et de pureté.*
>
> *Cette nature, par surcroît, n'appartient pas seule-
> ment à l'homme, puisqu'elle constitue le lien entre
> son esprit et les choses : c'est bien à une essence
> commune pour toute la " création " que nous sommes
> conviés à croire. L'univers et moi, nous n'avons
> plus qu'une seule âme, qu'un seul secret* [1].

On dira que Robbe-Grillet s'invente des fantômes
pour les détruire ensuite, que le roman sartrien a,
il y a bien longtemps, dénoncé la littérature essentialiste ainsi que ses conséquences logiques : l'objet
anthropomorphique. Mais Robbe-Grillet déclare précisément que le roman sartrien est une inconsé-
quence de la pensée sartrienne philosophique.

Voici une des phrases de *La Nausée* citée par
Robbe-Grillet : « Tous les objets qui m'entouraient
étaient faits de la même matière que moi, d'une
espèce de souffrance moche [2]. » On voit ce qu'implique pareille perception. Selon Robbe-Grillet, l'objet romanesque sartrien : le loquet de porte, la
racine de marronnier, les bretelles, etc., persévère
dans un espace humanisé, un espace qui perpétue

---

1. « Nature, humanisme, tragédie », p. 587.
2. *Ibid.*, p. 597.

les liens d'intimité psychologique et métaphysique avec l'homme.

Robbe-Grillet ne cesse, au contraire, de traquer, de faire la guerre à un pareil commerce entre homme et choses.

> *Refuser notre prétendue " nature " et le vocabulaire qui en perpétue le mythe, poser les objets comme purement extérieurs et superficiels, ce n'est pas — comme on l'a dit — nier l'homme; mais c'est repousser l'idée « pananthropique » contenue dans l'humanisme traditionnel, comme probablement dans tout humanisme. Ce n'est, en fin de compte, que conduire dans ses conséquences logiques la revendication de ma liberté* [1].

Devant le vocabulaire porteur de mythes, Wallas abdique sa liberté. Ce n'est pas le tableau aux « ruines » qu'il regarde, ce qu'il voit ce sont les ruines de *Thèbes*. Des ruines aux ruines de Thèbes, le passage s'est fait par la signification. Du coup, Wallas transporte l'adjectif « Thèbes » sur le pavillon Dupont et, dans cette deuxième version, il voit avec une précision hallucinante le pavillon Dupont baigné de mythologie :

> *Les ruines de Thèbes.*
> *Sur une colline qui domine la ville, un peintre du dimanche a posé son chevalet, à l'ombre des cyprès, entre les tronçons de colonne épars... il précise maints détails qu'on remarque à peine à l'œil nu, mais prennent, reproduits sur l'image, une surprenante intensité. Il doit avoir une vue très perçante* [2]...

Il doit avoir une vue très perçante... L'ironie de l'auteur vise Wallas mais aussi le lecteur, surtout

---

1. « Nature, humanisme, tragédie », p. 587.
2. *Les Gommes*, p. 167.

le lecteur. Le roman exige qu'on se sépare du héros
sous peine de se laisser entraîner dans un échafaudage romanesque dérisoire.

La troisième vision de Wallas est composée avec
tant d'habileté que le lecteur le plus enclin à une
interprétation ironique du roman est pris de doute.
Voilà ce qui se passe dans la conscience « emmê-
lante » de Wallas :

> *La scène se passe dans une cité de style pompéien
> et, plus particulièrement, sur une place rectangulaire
> dont le fond est occupé par un temple (ou un théâtre,
> ou quelque chose du même genre) et les autres côtés
> par divers monuments de plus petites dimensions,
> isolés entre eux par de larges voies dallées. Wallas ne
> sait plus d'où lui revient cette image. Il parle — tantôt
> au milieu de la place — tantôt sur des marches, de
> très longues marches — à des personnages qu'il
> n'arrive plus à séparer les uns des autres, mais qui
> étaient à l'origine nettement caractérisés et distincts.
> Lui-même a un rôle précis, probablement de pre-
> mier plan, officiel peut-être. Le souvenir devient
> brusquement très aigu; pendant une fraction de
> seconde, toute la scène prend une densité extraordi-
> naire. Mais quelle scène? Il a juste eu le temps de
> s'entendre dire :*
> *— Et il y a longtemps que cela s'est passé?*
> *Aussitôt tout a disparu, l'assemblée, les marches,
> le temple, le parvis rectangulaire et ses monuments.
> Il n'a jamais rien vu de semblable. C'est le visage
> agréable d'une jeune femme très brune qui surgit à
> la place — la papetière de la rue Victor-Hugo — et
> l'écho du petit rire de gorge. Pourtant le visage est
> grave.*
> *Wallas et sa mère étaient arrivés enfin à ce canal
> en cul-de-sac; les maisons basses, au soleil, miraient
> leurs vieilles façades dans l'eau verte. Ce n'est pas
> une parente qu'ils recherchaient : c'était un parent,
> un parent qu'il n'a pour ainsi dire pas connu. Il ne*

> *l'a pas vu — non plus — ce jour-là. C'était son*
> *père. Comment avait-il pu l'oublier* [1]*?*

Voilà l'aboutissement des transformations de la
vitrine. C'est l' « épiphanie » du roman qui projette
sa lumière stéréotypée sur l'acte futur de Wallas.
Dès lors, le lecteur est sûr de lui-même, il n'a plus
besoin d'interroger, de regarder lui-même : l'acte
futur de Wallas sera parricide. Wallas est jugé coupable par le lecteur avant qu'il n'ait tué. « Wallas tue
son " père " », dit Bruce Morrissette [2] qui n'a aucun
doute à ce sujet, et pourtant le doute est le roman
même. Selon cette interprétation, tout le roman *Les
Gommes* ne serait rien d'autre qu'une reprise de la
mythologie et de la psychologie de la profondeur.
En ce qui concerne les mythes, Robbe-Grillet ne
cesse d'affirmer que leur destitution est le dessein
de son roman. Quant à la psychologie, Robbe-Grillet
déclare que « les événements se passent dans mon
livre hors de la psychologie qui est l'instrument
habituel des romanciers [3] ». Un écrivain peut, bien
entendu, mentir en commentant son propre roman.
Mais tout ce qu'il dit dans *tous* ses essais ne représente certainement pas le contre-pied exact de ses
intentions romanesques :

> *Le matériau — la langue française — n'a subi
> que des modifications bien légères depuis trois cents
> ans; et, si la société s'est transformée peu à peu, si
> les techniques industrielles ont fait des progrès
> considérables, notre civilisation mentale, elle, est
> bien restée la même. Nous vivons pratiquement sur
> les mêmes interdits, moraux, alimentaires, religieux,
> sexuels, hygiéniques, familiaux, etc. Enfin, il y a*

1. *Les Gommes*, p. 230-231.
2. « Clefs pour *Les Gommes* », p. 299.
3. « Entretien » avec Jean Carlier (*Combat*, 6 avril 1953).

le « *cœur* » *humain qui — c'est bien connu — est
éternel* [1].

Si l'on considère le matériau, la langue française
telle qu'elle a été employée dans la description de
la conscience de Wallas, on doit admettre qu'elle
date de plus de trois siècles, elle est même bien plus
vieille que cela, elle nous arrive de Thèbes, ensuite
de la cité pompéienne par les bons soins de la « pape-
tière » de la rue Victor-Hugo. Cette langue s'est, il
est vrai, un peu rajeunie en passant par les planches
des divers théâtres où Wallas a pu l'entendre. Cet
échafaudage extraordinaire que s'est composé la
conscience de Wallas ne peut pas relever d'une expérience onirique ni d'un rêve nocturne. Dans le rêve
de l'inconscient — où se placent les complexes
d'Œdipe — on ne raffine pas sur les différents styles,
on ne distingue pas en esthète le style pompéien
des styles grecs ou autres. On y rêve, sans tergiverser
sur l'authenticité du décor. Mais l'auteur nous le dit
clairement, il ne s'agit pas d'un rêve, il s'agit d'un
souvenir. Wallas est en train de marcher quand tous
ces mots-images lui passent par la tête; il marche
et il se raconte des histoires composées de franges
mnémiques, théâtrales, culturelles.

> *A chaque instant des franges de culture (psycho-
> logie, morale, métaphysique, etc.) viennent s'ajouter
> aux choses, leur donnant un aspect moins étranger,
> plus compréhensible, plus rassurant* [2].

Le décor pompéien dont Wallas se plaît à revê-
tir ses souvenirs informes pour leur attribuer une
forme et une nécessité qu'ils n'ont évidemment pas,
le style pompéien est une altération délibérée qui

1. « Une voie pour le roman futur », p. 78.
2. *Ibid.*, p. 80.

sert le dessein de Robbe-Grillet. Relativement au
premier décor grec de Thèbes, celui de Pompéi est
plus artificiel, son architecture est plus trompeuse,
plus portée à illusionner. C'est dans ce décor à la
fois grec, romain et français que Wallas a son « illu-
mination » : ce n'était ni une tante ni une sœur
qu'il avait cherchées, c'était son père! Ainsi, le lecteur découvre avec soulagement que la profondeur,
l'abîme du cœur humain n'ont pas été méconnus
par Robbe-Grillet. Si cette expérience de Wallas est
expérience de la « profondeur intérieure », il faut,
au moins, reconnaître que cette profondeur-là n'est
pas sa profondeur, ni la nôtre : c'est la profondeur
de tout le monde. Elle est construite et sauvegar-
dée par le langage. En esquivant soigneusement
le langage porteur de telles résonances sémantiques,
Robbe-Grillet dissout la fable [1].

La vision de Wallas est faite d'images-souvenirs
et non d'images inconscientes. « La conscience se
laisse dresser comme un perroquet, mais l'inconscient résiste [2]. » La conscience de Wallas ne serait-
elle pas une conscience « dressée »? Or, le roman
de Robbe-Grillet veut être une conscience originaire.
La « loi », dans *Les Gommes*, c'est une loi qui condi-
tionne chaque conscience. La « loi » qui régit gestes

1. Les phénoménologues reconnaissent le puissant rôle que joue
le langage dans la « vie intérieure ». La vie intérieure, affirment-ils,
n'est rien d'autre qu'un langage intérieur, langage que nous emprun-
tons aux autres : « ...ce qui nous fait croire à une pensée qui existerait
pour soi avant l'expression, ce sont les pensées déjà ... exprimées que
nous pouvons rappeler à nous silencieusement et par lesquelles nous
nous donnons l'illusion d'une vie intérieure. Mais, en réalité, ce
silence prétendu est bruissant de paroles, cette vie intérieure est un
langage intérieur » (Merleau-Ponty, *Phénoménologie de la perception*,
p. 213).
2. Jung, cité par Bachelard, *Le Matérialisme rationnel*, Paris,
Presses Universitaires de France, 1953, p. 50.

et paroles de tous les personnages du roman, y
compris de Wallas, rappelle celle à laquelle le monde
de Kafka est également soumis, mais elle est ici
traitée avec ironie. Dans *Les Gommes*, la « capitale » est le lieu mystérieux où se fait la loi. C'est
vers cette capitale qu'on se tourne à la fin du roman,
espérant qu'elle saura résoudre le mystère du crime.
La réponse « ne prouve absolument rien, sinon que
la leçon a été bien apprise [1] ». Là est l'ironie, car
la loi est une loi pour pantins.

Tous les personnages ont des consciences formées,
« dressées par une longue civilisation mentale »,
comme le dit Robbe-Grillet. L'attitude phénoménologique lutte contre l'emprise des images reçues, en
cherchant toujours l'origine des choses. Or, à l'origine, au commencement, était le « verbe » et le
verbe est un véritable phénix.

On peut considérer le roman de Robbe-Grillet
comme une crise du langage, crise qui fait partie de
la crise du roman dont on parlait il y a quelque
temps. Il y a deux aspects à cette crise du langage :
un aspect analytique et un aspect philosophique.
Du point de vue du roman de Robbe-Grillet, tout
langage qui ne peut pas être soumis à une analyse
visuelle est un langage menacé par la dissolution.
Ainsi la phrase de Balzac : « la salle... où s'est
blottie la spéculation », est un artifice linguistique
puisque rien en elle ne peut être *montré*, rien en
elle ne résiste à une critique de la vision.

Le deuxième aspect qui concerne le projet de
l'œuvre est, en dernier lieu, aussi un problème du
langage puisque Robbe-Grillet définit ainsi l'écrivain : « l'écrivain, c'est celui qui n'a rien à dire [2] ».

1. *Les Gommes*, p. 229.
2. « Entretien » avec Madeleine Chapsal, « Le Jeune roman »
(*L'Express*, 12 janvier 1961).

Pareille définition de l'écrivain n'est pas entièrement
neuve. Maurice Blanchot avait déjà dit qu'il est
indispensable à l'écrivain de « sentir... qu'il n'a *rien*
à dire [1] ». Il y a longtemps que le langage littéraire
est chose suspecte. Les surréalistes demeurent les
grands inquisiteurs du langage. Mais la grande différence entre le langage surréaliste et celui de Robbe-
Grillet est que le langage surréaliste exprime un
plein, celui de Robbe-Grillet un vide. Le surréalisme ne trouve pas de langage assez fulgurant
pour exprimer les richesses psychiques nouvellement
découvertes. Les surréalistes libèrent le langage de
ses contraintes cartésiennes, du style Voltaire et
Anatole France. Robbe-Grillet, au contraire, dépos-
sède le langage de sa richesse et de sa part littéraire.

La crise du langage est un phénomène moderne
dont la philosophie est aussi consciente que la littérature. En Angleterre, toute une philosophie analytique du langage a été élaborée pour « dissoudre »
les problèmes métaphysiques traditionnels [2]. L'analyse du langage pratiquée par l'école de Wittgenstein cherche à démontrer que les problèmes philosophiques sont de faux problèmes, des problèmes
de langage et qu'analyser le langage c'est « dissoudre » les problèmes. En France, les études de
Merleau-Ponty sur le langage révèlent un parallèle étonnant à la conscience aiguë qu'ont prise du
langage des écrivains comme Samuel Beckett et
Robbe-Grillet. Pour ces écrivains, le langage est une
machine qui tourne à vide, ou, comme dit Wittgenstein, « language is on holiday [3] ». En dénonçant

---

1. *La Part du feu*, Paris, Gallimard, 1949, p. 75.
2. Voir, par exemple, les *Blue and Brown Books* de Wittgenstein.
3. « La clarté du langage s'établit sur un fond obscur ...il faudrait
donc chercher les premières ébauches du langage dans la gesticula-
tion émotionnelle par laquelle l'homme superpose au monde donné le

le langage analogique, Robbe-Grillet cherche à libérer la mémoire des images reçues, à ôter au monde
le monde selon l'homme :

> *La montagne m'aurait peut-être ainsi, la pre-*
> *mière, communiqué le sentiment du majestueux*
> *— voilà ce qu'on m'insinue. Ce sentiment se serait*
> *ensuite développé en moi et, par foisonnement, en*
> *aurait engendré d'autres : magnificence, prestige,*
> *héroïsme, noblesse, orgueil. A mon tour je les repor-*
> *terais sur d'autres objets, même de taille plus*
> *médiocre (je parlerais d'un chêne orgueilleux, d'un*
> *vase aux lignes pleines de noblesse...) et le monde*
> *deviendrait le dépositaire de toutes mes aspirations*
> *à la grandeur, serait à la fois leur image et leur*
> *justification, pour l'éternité. Il en irait de même*
> *pour chaque sentiment et, dans ces incessants*
> *échanges, multipliés à l'infini, je ne saurais plus*
> *retrouver l'origine de rien* [1].

Tout le roman *Les Gommes* est une démonstration
de ce miroitement infini des ombres qui s'envoient
leurs propres ombres. Au milieu de ce que Wallas
appelle correctement une « scène de théâtre », il « ne
sait plus d'où lui revient cette image »; il ne sait
pas, non plus, d'où vient cette scène : « Mais quelle
scène? » se demande-t-il. Mais c'est au moment où
les deux versions du dicton, « on s'acharne quelquefois à découvrir un meurtrier... », se mettent à
assaillir la conscience de Wallas, qu'il s'écrie : « D'où
sortent donc ces phrases [2]? » Excellente question qui
est en fait une critique. Critique de ces phrases qui
n'ont plus de sources véritables, de ces paroles par-
lées, comme dit Merleau-Ponty, et non plus parlant.

---

monde selon l'homme » (Merleau-Ponty, *Phénoménologie de la per-*
ception, p. 219).
1. « Nature, humanisme, tragédie », p. 585-36.
2. *Les Gommes*, p. 255.

Les rapports littéraires.

« D'où sortent donc ces phrases? » A cette question, le roman en ajoute une autre qui lui est parallèle : « D'où sortent donc ces rapports? » Les rapports qu'un roman pose sont des rapports qui signifient. On en crée, on en voit partout pour ne pas avoir affaire au chaos, aux accidents. Un rapport c'est un ordre, une nécessité, c'est le contraire du désarroi, de l'étrange, du simplement là. Il y a des rapports grecs, des rapports Renaissance, des rapports balzaciens et ceux du roman policier. Chacun de ces rapports est une conquête sur l'informe. Il n'y a pas de hasard dans les rapports. Le roman lui-même qui, à son origine, aspirait au mode du Devenir, qui s'est dressé contre les rêves de l'Éternel, de l'atemporel, le roman traditionnel est devenu une forteresse contre la contingence. Du point de vue où se place un lecteur contemporain, les romans traditionnels apparaissent comme des romans « bien faits », des romans dont la composition repose sur un parti pris d'ordre et de finalité. L'écrivain contemporain, au contraire, tel Robbe-Grillet, éprouve profondément la formule sartrienne : nous sommes « condamnés à la liberté », c'est-à-dire à l'absence de toute vérité, de toute essence préétablie. Le romancier traditionnel jouissait d'un monde ordonné, « arrangé » avant lui, dont il n'avait qu'à retrouver l'unité pour la contracter en une œuvre d'art. Ceci est vrai pour un romancier comme Balzac. Le roman de Proust cherche, également, à transformer en lois psychologiques, ce qui n'est qu'attitude de l'esprit. « Car les lois générales, dit Proust, qui règlent la perspective dans l'imagination s'appliquent aussi bien aux ducs qu'aux autres hommes. Non seulement les lois de l'imagination, mais celle du langage [1]. »

Le roman d'aujourd'hui, celui de Robbe-Grillet, du moins, est si pénétré de sa liberté, de son manque d'ancrage, ou plutôt de son ancrage toujours provisoire, absolument et entièrement relatif, qu'il ne consent plus à aucun signe d'équation, qu'il ne se reconnaît plus dans sa parole d'hier, qu'il se soupçonne dans toute parole, dans toute forme qui ne lui apparaît pas comme sortie du néant, comme phénomène relatif.

Valéry distinguait déjà les modernes des classiques en disant que ceux-ci « construisaient » et que ceux-là s'abstiennent d'ajouter un ordre volontaire aux choses : « Bossuet dit ce qu'il veut. Il est essentiellement volontaire, comme le sont tous ceux que l'on nomme *classiques*. Il procède par constructions tandis que nous procédons par accidents [2]... »

La construction est le contraire de l'accident, elle est une anti-contingence. Quand nous nous demandions d'où sortaient ces rapports, nous aurions donc dû dire d'où sortaient ces constructions. Pour y répondre, il faudrait étudier chacune des constructions que Robbe-Grillet reprend à son compte pour en faire le procès. Cela exigerait des volumes, nous nous bornerons à quelques exemples.

Wallas est un détective qui cherche la solution à un meurtre qui n'a pas été commis. Dans cette chasse au criminel sans crime, donc crime inhabituel, Wallas doit faire appel à toutes les hypothèses psychologiques, à toutes les « connaissances » du cœur humain pour tomber sur l'hypothèse qui sera vérité. Qu'il y ait « vérité », personne, ni Wallas ni le lec-

1. *A la recherche du temps perdu*, II, p. 235-236.
2. « Sur Bossuet » (*Variété*, I, p. 498).

teur, n'en doute. Il faut dire, pour faire justice à
Wallas, qu'il n'est sûr de rien.

> *Pour comble de malheur, il avait en face de lui*
> *le visage amusé du commissaire, dont l'incrédulité*
> *trop visible achevait d'anéantir la vraisemblance de*
> *ses* constructions [1].

Wallas est un personnage qui est à la fois le héros
et le contraire du héros pour son auteur. Robbe-
Grillet l'accable d'injures tout en sachant combien
il est difficile d'être libre, combien il est impossible
d'échapper aux images, aux idées, aux sentiments
qui nous ont formés. Si on prend le roman au
sérieux, il faut reconnaître que le roman de Robbe-
Grillet s'en prend à quelque chose d'important
en dévoilant le roman traditionnel comme une
« construction »; il s'en prend à la valeur ontologique impliquée dans la composition même du
roman. Dans le roman auquel nous avons été habitués, l'événement n'est pas un fait ambigu, douteux,
sujet à hypothèses. Il n'est pas un hasard, il répond
à un besoin d'ordre moral, rationnel ou émotif. Il
n'est jamais indépendant et isolé, il renvoie aussitôt
à un réseau d'autres événements établissant des
rapports nécessaires entre chacun d'eux. Le roman
devient ainsi une construction-explication de l'univers.

Les événements, les gestes, les actes et les objets
dans le roman traditionnel posent immédiatement
des rapports d'ordre dans le monde; l'esprit positif
du commissaire Laurent décèle correctement que la
conduite de Wallas est déterminée par la fiction :

> *Que savez-vous au juste? Par l'intermédiaire*
> *d'une femme visionnaire et d'un homme soûl, vous*

1. *Les Gommes*, p. 165 (c'est nous qui soulignons).

*avez été amené à retirer, à une poste restante, du
courrier qui ne vous appartenait pas* [1].

Cette remarque du commissaire inculpe le lecteur
de romans non moins que Wallas. L'homme soûl
et la femme visionnaire trouvent tous les deux que
Wallas ressemble à cet homme qu'ils ont vu dans
la proximité du pavillon Dupont. Cela, tout le
monde est d'accord là-dessus, n'est pas suffisant pour
condamner Wallas. La ressemblance est un accident,
un hasard. Le hasard, l'accident ne sont pas réels,
il n'y faut prêter aucune attention, c'est de l'apparence pure. Ce qui, par contre, n'est ni accident
ni hasard, c'est que cet homme soûl n'est pas un
phénomène fortuit, c'est l'homme qui pose et repose
l'éternelle question du sphinx. C'est également l'adjectif « visionnaire » qui fait de la simple femme
une « essence », c'est la prêtresse grecque. Ainsi
s'intègrent les éléments immotivés, contingents en
une configuration d'ordre et d'enchaînement continus. Conclure, comme tant de critiques l'ont fait,
à des liens intimes entre l'ivrogne aux devinettes
et Wallas, c'est faire des rapports syllogistiques, procédé sur lequel le romancier traditionnel comptait.
Ces rapports syllogistiques n'étaient suggérés que
pour impliquer une réalité au-delà de la parole, qui
ne s'exprime pas directement, qui se « suggère ».
Ainsi, Wallas est bel et bien un Œdipe moderne,
et *Les Gommes* une tragédie contemporaine, autrement on ne comprend pas à quelle nécessité corres-
pondrait la présence têtue de cet ivrogne-sphinx.
La valeur ontologique du roman serait si entièrement minée si l'ivrogne n'était, en effet, rien qu'une
présence fortuite et sans rapport nécessaire à Wallas, que le roman deviendrait un contresens. Il serait

1. *Les Gommes*, p. 159.

« incompréhensible » dit, en effet, Bruce Morrissette [1]. Les coïncidences spatiales, les enchaînements
temporels qui constituaient l'ordre romanesque traditionnel sont ici portés au rang de rapports inventés, de rapports romanesques. Ces rapports avaient
pour but de remplir le vide, le fond obscur sur lequel
surgit l'acte ou le regard robbegrilletien. La grande
préoccupation de la littérature était toujours de ne
pas admettre le vide, de trous dans le temps. Analogue en cela au roman policier, toute l'œuvre littéraire était « achevée » quand elle avait réussi à
combler tous les trous dans la trame temporelle du
roman.

C'est un trou dans le temps qui deviendra à la
fois le point de départ et le centre du roman de
Robbe-Grillet. Les rapports, qu'établiront les lecteurs autour de ce creux dans le récit et pour combler
ce creux, seront matière à de nouvelles fables.

1. « Clefs pour *Les Gommes* », p. 311.

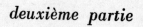

deuxième partie

La réalité-humaine se trouvant retenue dans le Néant par la cause de l'angoisse cachée, l'homme devient la sentinelle du Néant.

Heidegger.

LE CREUX AU CŒUR DE LA RÉALITÉ OU LE MYTHE MODERNE DU NÉANT

Le phénomène important est toujours comme à l'état de creux au cœur de cette réalité... Comme le personnage principal de La Jalousie *n'est qu'un creux, comme l'acte principal, le meurtre, est un creux dans* Le Voyeur [1].

Le phénomène important, selon Robbe-Grillet, est ce creux dans la réalité, creux qui forme le centre de tous ses romans. Le roman de Robbe-Grillet est un aboutissement formel (formel en termes de composition), de l'expérience moderne du néant. L'école allemande, qui domine la philosophie française, a consacré à l'expérience du néant un de ses livres les plus passionnants. Dans ce livre, la métaphysique est avant tout réflexion sur le néant : « Le Néant nous est révélé dans le fond de la réalité-humaine [2]. » Sartre a écrit un livre de sept cents pages sur la tension dramatique entre le néant et

1. « Entretien » avec A.-S. Labarthe et J. Rivette (*Cahiers du cinéma*, nº 123, septembre 1961, p. 18).
2. M. Heidegger, *Qu'est-ce que la métaphysique?* Paris, Gallimard, 1951, p. 42.

l'être. Il définit l'homme comme celui « en qui, dans son Être, il est question du Néant de son Être [1] ». L'humain, pour Sartre, est la conscience d'un défaut, d'un manque d'être : « La réalité humaine est avant tout son propre néant [2]. » Un théoricien qui juge sévèrement l'expérience occidentale du néant, conclut :

> Il y a quelques décades, la situation de vis-à-vis de rien a pu être vécue par des individus-types tels que Stavroguine ou Svidrigaïlov. Maintenant, c'est toute une société et des classes sociales entières qui se trouvent dans cette situation [3].

Le roman de Sartre et de Camus nous a depuis longtemps habitués à la part du néant dans l'homme, néant qui a donné naissance à une littérature de l'angoisse et de l'absurde. Sartre et Camus ont cependant converti l'expérience du néant en une expérience humaniste. Camus comble ce qu'il appelle « le silence déraisonnable du monde [4] » par l'action qui affirme la solidarité entre les hommes. Le roman de Sartre établit une équation exaltante entre néant et liberté. Le néant dévoilé est ainsi aussitôt recouvert, « récupéré », dira Robbe-Grillet, par des voies différentes, mais qui servent, toutes deux, à réconcilier l'homme avec sa condition.

A côté de ces romans, le roman de Robbe-Grillet apparaît comme une sorte de Don Quichotte du néant. La forte tension que manifeste la structure

---

1. *L'Être et le néant*, p. 59.
2. *Ibid.*, p. 132. La pensée religieuse n'est pas étrangère à cette appréhension du vide : Simone Weil a pu dire : « Dieu ne peut être présent dans la création que sous la forme de l'absence » (*La Pesanteur et la grâce*, Paris, Librairie Plon, 1947, p. 144).
3. Georges Lukacs, *Existentialisme ou marxisme?* Paris, éd. Nagel, 1961, p. 90.
4. *Le Mythe de Sisyphe*, Paris, Gallimard, 1942, p. 44.

même du roman de Robbe-Grillet provient de son
refus de combler le vide. Loin de chercher à récupérer ce creux en le remplissant, tout l'effort consiste
à ne pas combler cette béance, à sauvegarder le vide.

Nathalie Sarraute sépare le roman moderne en
deux catégories : « le roman psychologique et le
roman de situation [1] ». En tête du roman de situation est Kafka. Nathalie Sarraute cite Roger Gre-
nier selon lequel « le génie de notre époque... souffle
en faveur de Kafka [2]... ». A cet égard, critiques
et théoriciens sont unanimes : l'œuvre de Kafka,
dit Georges Lukacs, est « comme le symbole de
tout art moderne [3] ». Or, le roman qui va jusqu'au
bout du néant, qui se maintient en face de lui
sans aucun geste de compromis, c'est *Le Procès*
de Kafka. L'absence, comme source profonde de
détresse, atteint dans ce roman à sa plus intransigeante représentation. Pendant toute la durée de
son procès, Joseph K... essaie de découvrir pourquoi il a été arrêté et le silence qu'il rencontre n'est
pas un silence « déraisonnable » mais un silence sans
adjectif, absolu : ce qu'il rencontre, c'est le rien :

> *...les procédés de notre justice exigent naturellement
> que l'on soit condamné non seulement innocent mais
> encore sans connaître la loi [4].*

Mais personne ne la connaît, cette loi, il n'y en a
point :

> *...je demandai au brigadier avec le plus grand
> calme... pourquoi j'étais arrêté? Que pensez-vous*

---

1. *L'Ère du soupçon*, Paris, Gallimard, 1956, p. 9.
2. *Ibid.*
3. *La Signification présente du réalisme critique*, Paris, Gallimard, 1960, p. 66.
4. *Le Procès*, Paris, Gallimard, 1957, p. 98.

> *que me répondit alors ce brigadier...? Messieurs, il
> ne me répondit rien* [1].

Ce défaut de toute réponse, cette absence de toute
présence font l'objet de la conscience de Joseph K...
au moment de sa mort :

> *Où était le juge qu'il n'avait jamais vu? Où était
> la haute cour à laquelle il n'était jamais parvenu?
> Il leva les mains et écarquilla les doigts* [2].

C'est dans la lignée de l'expérience du vide sans
accommodement aucun qu'il faut situer le roman
de Robbe-Grillet. En cela, il est plus proche de Heidegger que de Sartre — et là est sans doute la source
des divergences de leurs romans. Pour Sartre, le
néant n'est pas une catégorie indépendante de l'être.
Le néant, dit-il, « c'est de l'être qu'il prend son
être [3] ». C'est l'homme, déclare Sartre, qui éprouve
les absences, le manque; bref, c'est par l'homme
qu'arrive le néant dans le monde : « L'homme se
présente donc... comme un être qui fait éclore le
Néant dans le monde [4]... » Or, il n'en est nullement
ainsi chez Heidegger qui lui reconnaît une existence
indépendante de l'homme : « Le Néant est origi-
nairement antérieur au « Non » et à la négation [5]. »
Le néant de Heidegger est, pour ainsi dire, irrémé-
diable, il *est* et ne dépend pas d'un processus humain
de négation et de refus.

Le roman de Robbe-Grillet débute par un tel
vide originaire, se développe autour de lui et se termine par la propagation du vide sur la totalité :

---

1. *Le Procès*, p. 91.
2. *Ibid.*, p. 297.
3. *L'Être et le néant*, p. 52.
4. *Ibid.*, p. 60.
5. Heidegger, *Qu'est-ce que la métaphysique?* p. 27.

> *Tout est raconté avant le trou, puis de nouveau
> après le trou, et on essaie de rapprocher les deux
> bords pour faire disparaître ce vide gênant. Mais
> c'est tout le contraire qui se produit : c'est le vide
> qui envahit, qui remplit tout* [1].

Le vide, l'inexistant se métamorphose ici en existence réelle, en puissance qui détermine tout. Loin
de combler le vide, c'est la réalité qui finit par en
être disloquée. Le creux dans le cœur de la réalité
finit donc par être la cause de la nature de cette réalité.

Ce « vide gênant » se traduit dans le roman de
Robbe-Grillet par les termes « fissure », « faille »,
« fêlure ». Ces termes sont d'une récurrence extrêmement fréquente dans la narration. Ils constituent
de véritables constantes du roman de Robbe-Grillet.
(Ce sont les objets qui varient de roman à roman.
Leur rôle est de graviter autour de ces constantes-
vides.) Maurice Blanchot a immédiatement noté que
le phénomène central du roman de Robbe-Grillet
est ce vide-fissure, cette double forme spatio-tem-
porelle autour de laquelle se construit le roman [2].
Selon Blanchot, ce creux dans le récit est « ce point
obscur qui nous permet de voir [3] ».

---

1. « Entretien » avec A.-S. Labarthe et J. Rivette (*Cahiers du
cinéma*, p. 18).

2. Cette observation de Blanchot est, d'ailleurs, naturelle : *Thomas l'obscur* est un roman qui se réalise, comme son héros, « dans le
vide absolu ». L'homme y est privé de toute réalité même de celle
de sa mort : « Déjà, alors qu'il se penchait encore sur ce vide où il
voyait son image dans l'absence totale d'images, saisi par le plus
violent vertige qui fût, vertige qui ne le faisait pas tomber mais
l'empêchait de tomber, et qui rendait impossible la chute qu'il rendait inévitable, déjà la terre s'amincissait autour de lui et la nuit,
une nuit qui ne répondait plus à rien, qu'il ne voyait pas et dont il ne
sentait la réalité que parce qu'elle était moins réelle que lui, l'envi-
ronnait » (*Thomas l'obscur*, nouvelle version, Paris, Gallimard, 1950,
p. 50-51).

3. *Le Livre à venir*, Paris, Gallimard, 1959, p. 196.

Ce non-être au cœur de la réalité est le fondement
du roman de Robbe-Grillet :

> *L'oreille tendue guette son propre silence. La res-*
> *piration — qui le troublerait — cesse d'elle-même.*
> *A l'intérieur on n'entend pas le moindre bruit. Per-*
> *sonne ne parle. Rien ne bouge. Tout est mort.*
> *Mathias se penche un peu plus vers la porte close.*
> *Il frappe à nouveau, en s'aidant de sa grosse*
> *bague, contre le panneau de bois qui résonne pro-*
> *fondément, comme un coffre vide; mais il sait déjà*
> *l'inutilité de son geste : s'il y avait quelqu'un la*
> *porte serait ouverte, par ce beau soleil, et sans doute*
> *les fenêtres aussi. Il lève la tête vers celles du pre-*
> *mier étage; aucun signe de vie n'y tremble non plus*
> *— battant que l'on repousse, rideau soulevé qui*
> *retombe, silhouette qui s'efface en arrière — ni même*
> *ce trouble résiduel, ou précurseur, des embrasures*
> *béantes où l'on devine qu'un buste penché vient de*
> *disparaître, ou qu'un buste apparu soudain va se*
> *pencher* [1].

Ce passage se situe à peu près au milieu du *Voyeur*,
et ce milieu est précisément cette « embrasure
béante » vers laquelle refluera sans cesse la deuxième
moitié du récit. De tous les motifs du roman dans
le roman de Robbe-Grillet, celui-ci est un des plus
développés. Les images les plus concrètes, les plus
matérielles, expriment ici l'impalpable, le vide. La
maison vide devient le coffre vide, celui-ci se transforme en l'image de l'embrasure béante dans
une maison qui est, elle aussi, vide. L'embrasure béante renvoie à la maison vide, des miroirs

---

1. *Le Voyeur*, p. 96-97. Il faut bien ici parler d'un réalisme kafkaïen de l'écriture. Kafka donne cette double dimension aux objets
qui renvoient à tout ou à rien, c'est lui qui traite les détails du quotidien de manière à ce qu'ils s'altèrent au cours du banal et éclatent
finalement en représentation de l'angoisse cachée.

reflétant des miroirs parce que rien n'a lieu et ne s'interpose entre eux, comme rien ne remplit l'espace entre maintenant et ce qui n'est plus et ce qui n'est pas encore. La littérature nous a habitués à un temps humain, à un récit calfaté où l'on se sentait en sécurité. Le vide qui hante la contexture du récit de Robbe-Grillet pratique sans cesse et partout des coupures, nous livrant une réalité qui sans cesse s'écroule, une réalité qui exige, pour son expression, les métaphores les plus antibergsoniennes, celles-ci étant celles du plein et du continu. L'imagination de Robbe-Grillet dévore les rapports, tous les rapports, pratiquant ainsi des fissures qu'il ne sera plus dans son pouvoir de réparer. C'est par cette incapacité de combler ses propres lacunes que le roman de Robbe-Grillet diffère de celui de Faulkner, dans le sens précisément où on a pu les comparer. Le roman de Faulkner gravite autour d'un trou dans le récit qui ne se remplit que très graduellement, vers la fin du roman. Mais cette inconnue faulknérienne est provisoire, c'est un mystère dont l'éclaircissement est ajourné et le temps humain suffira à le résoudre. Il est, en principe, soluble et accessible à la connaissance humaine.

Le roman policier pose, dès le début, cette victoire de l'homme sur l'inconnu. Le trou dans le roman policier est une connaissance, une certitude simplement différée. Le roman de Robbe-Grillet, au contraire, est l'impossibilité radicale de jamais combler cette lacune autrement que par des hypothèses. L'embrasure béante devant laquelle se tient Mathias a ceci de caractéristique qu'il n'y a « aucun signe de vie », qu'il n'y a aucun « trouble résiduel ou précurseur » de quoi que ce soit en arrière ou en avant. On se trouve donc confiné dans un présent qui, décroché comme il est de tout trouble

résiduel du passé ou de l'avenir, devient une pure
vacance.

L'action principale, dans *Le Voyeur*, est un blanc
dans le récit. Ce récit nous rend compte de chaque
pas, de chaque geste de Mathias. L'auteur ne le
perd pas de vue un seul instant. Et tant que peut
durer cette minutieuse observation, nous nous trouvons dans la première partie du roman, c'est-à-dire
avant le blanc du récit. Quand nous abordons la
deuxième partie, la passerelle — l'action principale
— nous a été enlevée et, avec elle, notre dernière
possibilité de rejoindre la terre ferme. Dès lors, nous
ne pouvons faire rien d'autre que des hypothèses
sur ce qui ne nous est pas donné. Dès lors aussi,
le roman devient un roman d'imaginations sur ce
qui est arrivé ou sur ce qui n'est pas arrivé. Dès
que nous avons compris que l'action du roman ne
nous sera jamais donnée, que l'auteur n'est pas
« Dieu » (dans le sens où l'entend Sartre devant le
roman de Mauriac), qu'il ne peut pas représenter
cet acte sur lequel il n'a pas de vue privilégiée, nous
sommes condamnés à notre imagination. Nous ferons
comme les personnages de Robbe-Grillet, nous ima-
ginerons tout (en cela réside l'ouverture infinie de
ce roman) pour faire disparaître ce vide gênant.

Qu'est-ce qui est « vrai », qu'est-ce qui est « réel »,
qu'est-ce qui est « fiction » dans les images ? Qu'est-ce
qui est souvenir, perception, anticipation quand on
cherche à en reconstituer quelque chose qui nous
échappe, qui se refuse à devenir cohérence ? Nous
parcourons aisément tous ces modes de conscience
sans y faire des distinctions logiques. La conscience
est « mélangeante », disait Bachelard. Le roman de
Robbe-Grillet donne à la conscience la liberté de
mélanger tout et d'être illogique. Si l'on veut mettre
de « l'ordre rationnel littéraire » dans cette libre

accélération d'images qu'est le roman de Robbe-
Grillet, on est perdu. Il n'y a rien de sûr, de vrai,
rien de constant que le vide, vers lequel héros et
lecteur reviennent et reviennent encore, que l'auteur
cerne par un foisonnement d'images du possible, du
probable et de l'improbable. La seule fixité du
roman est l'absence centrale. Aussi y trouve-t-on
une multiplication prodigieuse de l'image du vide :

> *On reconnaît la commissure sinueuse du bec et sa*
> *pointe recourbée, le détail des plumes sur la queue,*
> *ainsi que sur le bord de l'aile, et jusqu'à l'imbrica-*
> *tion des écailles le long de la patte. On a l'impression,*
> *cependant, qu'il lui manque encore quelque chose.*
> *Quelque chose manquait au dessin, il était difficile*
> *de préciser quoi. Mathias pensa néanmoins qu'il y*
> *avait quelque chose qui n'allait pas — ou bien qui*
> *manquait* [1].

Cette description est du début du roman et elle
est un double commencement puisqu'elle rapporte
aussi une image de l'enfance de Mathias. Qu'on
remarque, d'une part, la profusion du détail qui
entoure ce manque et, d'autre part, le caractère
ambigu, incertain de ce qui manque.

> *Entre les deux, au-dessus de la porte, il y avait un*
> *large espace de pierre grise, où il semblait manquer*
> *une troisième fenêtre; à la place se trouvait ménagée*
> *dans l'épaisseur du mur une toute petite niche*
> *comme pour loger une statuette; mais cette niche*
> *était vide* [2].

Ce qui est certain, c'est qu'il y a espace vide, ce
dont il est vide ne peut être comblé que par l'imagination. Ce vide contamine finalement tous les
objets de sorte que Mathias ne voit plus rien sans

1. *Le Voyeur*, p. 22.
2. *Ibid.*, p. 100.

qu'il y manque une pièce essentielle : « Il manquait
une pièce au dernier rang du modèle qui servait
pour la plupart des apéritifs à base de vin [1]... »
L'image du vide subit une répétition obsessionnelle
extrêmement fréquente tout en demeurant monotone, ennuyeuse à dessein.

*Elle le pria d'éteindre la lumière, il referma lui-
même les rideaux du lit et partit. Il regarda l'heure.
Il ressortit, prit un fiacre dans une petite rue perpendiculaire à celle sur laquelle donnait, derrière,
son hôtel. Parmi l'obscurité de toutes les fenêtres
éteintes depuis longtemps dans la rue, il en vit une
seule d'où débordait — entre les volets qui en pressaient la pulpe dorée — la lumière qui remplissait
la chambre. Il se glissa le long du mur jusqu'à la
fenêtre, mais entre les lames obliques des volets il ne
pouvait rien voir; il entendait seulement, dans le
silence de la nuit, le murmure d'une conversation.*

*Il [voit] cette lumière dans l'atmosphère d'or de
laquelle se mouvait derrière le châssis le couple invisible, [entend] ce murmure. Il allait frapper aux
volets; maintenant, c'était eux qu'il voyait. Il allait
frapper aux volets. Il se haussa sur la pointe des
pieds. Il frappa. Il refrappa plus fort, la conversation s'arrêta. Une voix d'homme demanda :*

— Qui est là?

*Il frappa encore une fois. On ouvrit la fenêtre,
puis les volets.*

*Deux des fenêtres donnent sur la partie centrale
de la terrasse. La première, celle de droite, laisse
voir par sa plus basse fente, entre les deux dernières*

1. *Le Voyeur*, p. 123.

*lamelles de bois à inclinaison variable, la chevelure
noire — le haut de celle-ci, du moins.*

*A... est immobile, assise bien droite au fond de
son fauteuil. Elle regarde vers la vallée, devant eux.
Elle se tait. Franck, invisible sur la gauche, se tait
également, ou bien parle à voix très basse.*

*Alors que le bureau — comme les chambres et la
salle de bains — ouvre sur les côtés du couloir,
celui-ci se termine en bout par la salle à manger,
dont il n'est séparé par aucune porte. La table est
mise pour trois personnes. A... vient sans doute de
faire ajouter le couvert de Franck, puisqu'elle était
censée n'attendre aucun invité pour le déjeuner
d'aujourd'hui.*

*... Aucun bruit de conversation n'arrive de la
terrasse, à l'autre bout du couloir.*

*A gauche, la porte du bureau est cette fois
demeurée grande ouverte. Mais l'inclinaison trop
forte des lames, aux fenêtres, ne permet pas d'observer l'extérieur depuis le seuil* [1].

Ces deux textes décrivent la même situation : un
homme épiant la femme qu'il aime à travers la
jalousie d'une fenêtre. Tous les deux textes se
bornent à enregistrer ce qui est visible à l'œil. La
première description est de Proust. Nous n'y avons
rien changé; nous avons simplement supprimé tout
ce qu'on ne peut pas voir directement, tout ce qui
n'est pas phénomène à forme concrète. Ne suivant
pas l'auteur dans la conscience réflexive et analytique de Swann, nous sommes demeurés du côté du
visible et ce qui nous est resté du monde de Proust
est dépourvu de sens. Pour le retrouver, on doit
lire le texte entier de Proust. Ce texte est long mais
ne se laisse pas couper :

1. *La Jalousie*, Paris, éd. de Minuit, 1957, p. 49-51.

Elle le pria d'éteindre la lumière avant de s'en aller, il referma lui-même les rideaux du lit et partit. Mais, quand il fut rentré chez lui, l'idée lui vint brusquement que peut-être Odette attendait quelqu'un ce soir, qu'elle avait seulement simulé la fatigue et qu'elle ne lui avait demandé d'éteindre que pour qu'il crût qu'elle allait s'endormir, qu'aussitôt qu'il avait été parti, elle avait rallumé, et fait entrer celui qui devait passer la nuit auprès d'elle. Il regarda l'heure. Il y avait à peu près une heure et demie qu'il l'avait quittée, il ressortit, prit un fiacre et se fit arrêter tout près de chez elle, dans une petite rue perpendiculaire à celle sur laquelle donnait, derrière, son hôtel et où il allait quelquefois frapper à la fenêtre de sa chambre à coucher pour qu'elle vînt lui ouvrir; il descendit de voiture, tout était désert et noir dans ce quartier, il n'eut que quelques pas à faire à pied et déboucha presque devant chez elle. Parmi l'obscurité de toutes les fenêtres éteintes depuis longtemps dans la rue, il en vit une seule d'où débordait — entre les volets qui en pressaient la pulpe mystérieuse et dorée — la lumière qui remplissait la chambre et qui, tant d'autres soirs, du plus loin qu'il l'apercevait en arrivant dans la rue, le réjouissait et lui annonçait : « elle est là qui t'attend » et qui maintenant, le torturait en lui disant : « elle est là avec celui qu'elle attendait ». Il voulait savoir qui; il se glissa le long du mur jusqu'à la fenêtre, mais entre les lames obliques des volets il ne pouvait rien voir; il entendait seulement dans le silence de la nuit le murmure d'une conversation.

Certes, il souffrait de voir cette lumière dans l'atmosphère d'or de laquelle se mouvait derrière le châssis le couple invisible et détesté, d'entendre ce murmure qui révélait la présence de celui qui était venu après son départ, la fausseté d'Odette, le bonheur qu'elle était en train de goûter avec lui. Et pourtant il était content d'être venu : le tourment qui l'avait forcé de sortir de chez lui avait perdu de son

acuité en perdant de son vague, maintenant que
l'autre vie d'Odette, dont il avait eu, à ce moment-là,
le brusque et impuissant soupçon, il la tenait là,
éclairée en plein par la lampe, prisonnière sans le
savoir dans cette chambre où, quand il le voudrait,
il entrerait la surprendre et la capturer; ou plutôt
il allait frapper aux volets comme il faisait souvent
quand il venait très tard; ainsi du moins Odette
apprendrait qu'il avait su, qu'il avait vu la lumière
et entendu la causerie, et lui, qui tout à l'heure, se la
représentait comme se riant avec l'autre de ses illu-
sions, maintenant, c'était eux qu'il voyait, confiants
dans leur erreur, trompés en somme par lui qu'ils
croyaient bien loin d'ici et qui, lui, savait déjà qu'il
allait frapper aux volets. Et peut-être, ce qu'il res-
sentait en ce moment de presque agréable, c'était
autre chose aussi que l'apaisement d'un doute et
d'une douleur : un plaisir de l'intelligence. Si,
depuis qu'il était amoureux, les choses avaient repris
pour lui un peu de l'intérêt délicieux qu'il leur trouvait autrefois, mais seulement là où elles étaient
éclairées par le souvenir d'Odette, maintenant, c'était
une autre faculté de sa studieuse jeunesse que sa
jalousie ranimait, la passion de la vérité, mais
d'une vérité, elle aussi, interposée entre lui et sa
maîtresse, ne recevant sa lumière que d'elle, vérité
tout individuelle qui avait pour objet unique, d'un
prix infini et presque d'une beauté désintéressée, les
actions d'Odette, ses relations, ses projets, son passé.
A toute autre époque de sa vie, les petits faits et
gestes quotidiens d'une personne avaient toujours
paru sans valeur à Swann : si on lui en faisait le
commérage, il le trouvait insignifiant, et, tandis
qu'il l'écoutait, ce n'était que sa plus vulgaire attention qui y était intéressée; c'était pour lui un des
moments où il se sentait le plus médiocre. Mais dans
cette étrange période de l'amour, l'individuel prend
quelque chose de si profond que cette curiosité qu'il
sentait s'éveiller en lui à l'égard des moindres occu-
pations d'une femme, c'était celle qu'il avait eue

autrefois pour l'Histoire. Et tout ce dont il aurait eu honte jusqu'ici, espionner devant une fenêtre, qui sait? demain peut-être, faire parler habilement les indifférents, soudoyer les domestiques, écouter aux portes, ne lui semblait plus, aussi bien que le déchiffrement des textes, la comparaison des témoignages et l'interprétation des monuments, que des méthodes d'investigation scientifique d'une véritable valeur intellectuelle et appropriées à la recherche de la vérité.

Sur le point de frapper contre les volets, il eut un moment de honte en pensant qu'Odette allait savoir qu'il avait eu des soupçons, qu'il était revenu, qu'il s'était posté dans la rue. Elle lui avait dit souvent l'horreur qu'elle avait des jaloux, des amants qui espionnent. Ce qu'il allait faire était bien maladroit, et elle allait le détester désormais, tandis qu'en ce moment encore, tant qu'il n'avait pas frappé, peut-être, même en le trompant, l'aimait-elle. Que de bonheurs possibles dont on sacrifie ainsi la réalisation à l'impatience d'un plaisir immédiat! Mais le désir de connaître la vérité était plus fort et lui sembla plus noble. Il savait que la réalité de circonstances qu'il eût donné sa vie pour restituer exactement, était lisible derrière cette fenêtre striée de lumière, comme sous la couverture enluminée d'or d'un de ces manuscrits précieux à la richesse artistique elle-même desquels le savant qui les consulte ne peut rester indifférent. Il éprouvait une volupté à connaître la vérité qui le passionnait dans cet exemplaire unique, éphémère et précieux, d'une matière translucide, si chaude et si belle. Et puis l'avantage qu'il se sentait — qu'il avait tant besoin de se sentir — sur eux, était peut-être moins de savoir, que de pouvoir leur montrer qu'il savait. Il se haussa sur la pointe des pieds. Il frappa. On n'avait pas entendu, il refrappa plus fort, la conversation s'arrêta. Une voix d'homme dont il chercha à distinguer auquel de ceux des amis d'Odette qu'il connaissait elle pouvait appartenir demanda :

> — *Qui est là?*
> *Il n'était pas sûr de la reconnaître. Il frappa*
> *encore une fois. On ouvrit la fenêtre, puis les volets.*
> *Maintenant, il n'y avait plus moyen de reculer et,*
> *puisqu'elle allait tout savoir, pour ne pas avoir l'air*
> *trop malheureux, trop jaloux et curieux, il se*
> *contenta de crier d'un air négligent et gai :*
> — *Ne vous dérangez pas, je passais par là, j'ai*
> *vu de la lumière, j'ai voulu savoir si vous n'étiez*
> *plus souffrante* [1].

On voit que la scène effective du personnage derrière la jalousie, que *le fait* n'est pour Proust que
prétexte à approfondir la personnalité. Ce qui se
passe « maintenant », ce qui est présent n'a d'autre
valeur que de déclencher la possibilité d'être selon
un mode réflexif et spirituel.

Nous nous sommes soigneusement abstenus d'une
réduction arbitraire du texte proustien. Nous étions
guidés par le regard, par un point de vue visuel,
tout le reste devait être sacrifié. Or, tout le reste
c'est Proust. C'est la durée, c'est le plein proustien
qui concourt de tous les points du temps pour servir de fondement au présent, pour former « les
gisements profonds de [son] sol mental [2] ». Qu'on
songe à l'immense richesse temporelle dont dispose
Swann : il l'amène à cette scène pour l'amplifier
en une orchestration de psychologie, et d'analyse,
de réflexion sur soi. Tandis que Swann se tient
devant la fenêtre, l'auteur décrit tout un ensemble
des souvenirs de Swann, la souffrance de Swann,
ses réflexions sur le caractère d'Odette, sur la nature
de la jalousie. Il fait le portrait de Swann et exprime
certaines vérités générales sur l'amour, etc. Cette
scène, ce fait divers dans la vie de Swann, a donc

1. *A la recherche du temps perdu*, I, 272-275.
2. *Ibid.*, I, 184.

servi à étendre la richesse, à approfondir la personnalité de Swann.

Le héros de *La Jalousie* est un « vide au cœur du
monde [1] ». Qu'est-ce que cela veut dire? L'immense
différence entre Swann et le personnage de Robbe-
Grillet est que, pour Proust, il y a encore personnalité. Bien que l'image proustienne de l'homme
annonce déjà le désastre de la personne humaine,
elle ne le fait que d'une manière indirecte car, si
les personnages proustiens changent de visage conti-
nuellement, ce n'est que du point de vue de l'autre
et des différents moments du temps. C'est « notre
personnalité sociale [qui] est une création de la pensée des autres [2] ». Mais du point de vue du « je »,
la personnalité proustienne n'est nullement mise en
doute, elle est réelle, elle a sa cohésion, son unité.
Si cette personnalité a choisi de se défaire, c'est un
choix dans une hiérarchie de choix possibles. Swann
avait le choix entre différents modes de vie : il a
préféré Odette au livre sur Vermeer.

Le héros de Robbe-Grillet n'a pas le choix, on
ne lui connaît pas d'autres possibilités de vie. S'il
épie sa femme, c'est qu'il n'a pas d'autre emploi
du temps. S'il est absent du roman, c'est qu'il est
absent de sa propre existence, qu'il est sans réflexion
sur soi. La dissolution du héros romanesque est
une dissolution du « moi ». De Montaigne au Rous-
seau des *Confessions*, de l'individu napoléonien du
XIXᵉ siècle au héros de Malraux, l'histoire de l'individu est un affermissement, un durcissement créateur de la personnalité [3].

---

1. « Prière d'insérer », page de couverture de *La Jalousie*.
2. *A la recherche du temps perdu*, I, 19.
3. Il y a eu, bien entendu, une littérature de l'anti-héros, Salavin
de Duhamel, Oblomov de Gontcharov, le personnage des *Mémoires
écrits dans un souterrain* de Dostoïevski, qui est le père spirituel

Dans le roman de Robbe-Grillet, il ne s'agit pas d'un anti-héros. Ses personnages n'ont rien à voir avec la désagrégation du personnage *par faiblesse psychologique* ou *par humiliation métaphysique.* Il n'y a pas de lien entre l'anti-héros traditionnel et le personnage de Robbe-Grillet. C'est le personnage de Kafka qui est le grand et véritable antécédent du personnage robbegrilletien. Le roman de Robbe-Grillet est inconcevable sans Kafka.

> *Lorsque j'ai découvert Kafka et la littérature américaine* [1] *d'entre les deux guerres, dit Robbe-Grillet,*

d'eux tous. Mais comme ce personnage est en marge du héros dostoïevskien, ainsi l'anti-héros était en marge des romans qui accordaient un destin héroïque au personnage. Il y avait, cependant, entre héros et anti-héros un lien commun, une nature commune : tous les deux posaient une image privilégiée de l'homme. L'anti-héros impliquait son existence comme le revers d'une médaille implique l'endroit de la médaille, il l'impliquait par son absence. Antoine Roquentin rêve de faire œuvre d'art pour justifier son existence; c'est sur cet espoir que se termine *La Nausée.* L'art demeure donc pour cet anti-héros une possibilité de vivre. (Solution humaniste et cet humanisme-là n'est nullement abandonné par Robbe-Grillet, par exemple.) L'art demeure la grande occupation de cette génération : « il n'y a que la littérature qui m'intéresse », dit Robbe-Grillet, rapporté par Bruno Hahn (*Les Temps modernes*, juillet 1960, p. 151).

1. Malgré l'admiration qu'exprime Robbe-Grillet pour Faulkner, nous ne concevons pas de parenté entre l'homme de Faulkner et l'homme de Robbe-Grillet. La parenté, ou l'influence, est d'ordre technique. La littérature américaine a démontré à la littérature française qu'un roman peut s'écrire sans analyse psychologique, sans la « sacro-sainte psychologie » comme dit Robbe-Grillet. Faulkner aussi bien qu'Hemingway n'ont aucun recours à cette muse française qu'a été l'analyse. Hemingway se borne à *montrer;* il ne dit rien. C'est en cela qu'on peut comparer les deux méthodes : la sienne et celle de Robbe-Grillet. L'extraordinaire luxuriance de la phrase faulknérienne est, on ne peut plus, contraire à la maigreur et à la nudité du style robbegrilletien. Pourtant, c'est dans le roman de Faulkner que Robbe-Grillet a appris à briser la chronologie romanesque traditionnelle. En France, c'est Proust qui a découvert que le temps tel qu'il a été construit dans le roman jusqu'à lui était une

> *j'ai eu le sentiment qu'il fallait avancer dans cette voie* [1].

Joseph K... est exécuté pour une raison que le roman ne dit pas, pour une absence de raison qui est le sens du roman. Tout le roman de Kafka est hanté par l'absence de quelque chose de fondamental. Si cette absence est le sujet propre du récit kafkaïen, il est impossible de méconnaître le lien qui va de Kafka à Robbe-Grillet. Du personnage kafkaïen, on ne peut pas dire que c'est un héros véritable et on ne peut pas dire non plus que c'est un anti-héros. Il échappe aux deux catégories. Il *est* d'abord et avant tout. Et c'est cela qui définit le mieux le personnage robbegrilletien. Lui aussi est d'abord. Mais comment est-il?

Le personnage de *La Jalousie* est dépossédé de tous les attributs de l'être romanesque tel que nous le connaissions : il n'a pas de nom, il n'a même pas l'initiale que lui accordait Kafka. Il n'a pas de « je », il n'a même pas de « il » narratif. N'étant pas quelqu'un qui puisse dire « je » ni quelqu'un dont le narrateur puisse dire « il », le personnage familier quitte le roman. A sa place, il y aura quelque chose de très important : une absence de personnage.

Mais il y a dans ce roman une autre absence autour de laquelle se fait le roman. Cette absence est de la même nature que le blanc dans la narra-

---

convention. C'est Proust (Bergson, en ce qui concerne la philosophie) qui a fait la distinction entre le temps humain et le temps chronologique. Le roman américain a donc aidé le roman français à se libérer de ses habitudes, mais c'est l'esprit de Kafka qui prédominera dans l'orientation du roman français contemporain, de celui tout au moins que représente Robbe-Grillet.

1. André Bourin, « Techniciens du roman » (*Les Nouvelles littéraires*, 22 janvier 1959).

tion du *Voyeur*. Il s'agit de l'absence de A..., de
son départ avec Franck, du temps où la maison est
vide et ce vide devient la conscience du mari, le
sujet de roman :

> *Maintenant la maison est vide.*
> *A... est descendue en ville avec Franck, pour faire
> quelques achats urgents. Elle n'a pas précisé les-
> quels* [1].

Robbe-Grillet ne parle que du creux représenté
par l'absence du mari et ce qui est étonnant c'est
qu'il identifie cette absence du mari avec le trou
dans le récit du *Voyeur*. Nous reprenons la citation : « Comme le personnage principal de *La Jalousie* n'est qu'un creux, comme l'acte principal, le
meurtre, est un creux dans *Le Voyeur*. » Il semble
que Robbe-Grillet confond ici deux qualités d'absence. L'absence du mari concerne le problème du
personnage et celui de la conscience narrative, le
point de vue, si l'on veut; l'absence de l'héroïne
concerne la matière romanesque.

Dans un roman traditionnel, on ne s'arrête pas
pour demander : « Mais qui parle ainsi? » On nous
disait : « Emma dit » ou « je répondis ». Ces héros
et héroïnes uniques avaient un nom unique, signe
distinct de personne distincte. Maurice Blanchot a
vu vers quoi se dirige le roman de Robbe-Grillet
en interprétant l'absence du mari comme la « pure
présence anonyme » :

> *D'après l'analyse des éditeurs, il faudrait entendre
> que ce qui nous parle en cette absence est le person-
> nage même du jaloux, le mari qui surveille sa femme.
> C'est, je crois, méconnaître la réalité authentique de
> ce récit tel que le lecteur est invité à s'en approcher.*

1. *La Jalousie*, p. 122.

> *Celui-ci sent bien que quelque chose manque, il pres-*
> *sent que c'est ce manque qui permet de tout dire et de*
> *tout voir, mais comment ce manque s'identifierait-il*
> *avec quelqu'un? Comment y aurait-il encore là un*
> *nom et une identité? C'est sans nom, sans visage;*
> *c'est la pure présence anonyme* [1].

Présence sans voix, sans visage, une pure conscience et conscience passive, telle est la figure humaine du héros de *La Jalousie*.

Deux chapitres de *La Jalousie* ont pour titre : « Maintenant la maison est vide » et « Toute la maison est vide ». Cette image se répète ainsi : « La terrasse est vide également [2]. » « Il n'y a personne sur cette terrasse, comme dans tout le reste de la maison [3]. » « La cour est vide [4]. » « Les yeux sont grands ouverts en face du ciel vide, des bananiers absents [5]. » « Toute la maison est vide. Elle est vide depuis le matin [6]. » Dans *La Jalousie*, comme dans *Le Voyeur*, toutes les fenêtres sont des embrasures et des ouvertures « béantes ». L'image de la fêlure reparaît ici comme dans tous les romans de Robbe-Grillet. Robbe-Grillet lui-même parle de ce vide comme d'un vide « qui remplit tout [7] ».

Le mari n'est d'ailleurs pas le seul personnage occupé à remplir ce vide par toutes les possibilités de son imagination. A... voit le regard du mari, elle le voit dans le miroir, dans les fenêtres, derrière les jalousies. Au retour de son voyage, A...

---

1. *Le Livre à venir*, p. 200.
2. *La Jalousie*, p. 123.
3. *Ibid.*, p. 126.
4. *Ibid.*
5. *Ibid.*, p. 138.
6. *Ibid.*, p. 143.
7. « Entretien » avec A.-S. Labarthe et J. Rivette (*Cahiers du cinéma*, n° 123, septembre 1961).

> *...semble avoir une envie de parler inusitée. Elle a
> l'impression — dit-elle — qu'il devrait s'être passé
> beaucoup de choses pendant ce laps de temps* [1]*...*
> *A... veut essayer encore quelques paroles* [2]*...*

L'envie inusitée de parler, qu'est-ce sinon le
besoin de combler ce laps de temps qui s'est installé
entre elle et le mari? L'excès de paroles de A...
n'est rien d'autre qu'une contamination de A... par
l'anxiété du mari. La jalousie devient ainsi une
passion qui pousse les êtres à inventer des paroles
et des images pour remplir le « vide gênant » entre eux.

Une des premières images du *Labyrinthe* est
l'image d'un « marbre fêlé [3] ». A la même page, nous
avons une variation du même thème sous forme d'un
« cercle de lumière ». Mais ce cercle n'est pas entier :
« un de ses bords se trouve coupé [4]... » Un peu plus
loin, l'image réapparaît, monotone, comme elle le
fera pendant tout le roman selon une altération à
peine sensible : « Une ligne brisée régulière, non
fermée, comme un hexagone auquel manquerait un
de ses côtés [5]... » Et enfin : « Dans la zone obscure
qui s'étend sur la gauche, un point de lumière se
détache, correspondant à un petit trou rond dans
le parchemin sombre de l'abat-jour [6]... »

Un des phénomènes les plus typiques du style de
Robbe-Grillet est cette image de la fêlure : elle
réapparaît à chaque page ou peu s'en faut.

La fissure, le cercle interrompu et les fenêtres,
les rues et les maisons vides constituent le point
focal de la vision du soldat dans le *Labyrinthe* :

1. *La Jalousie*, p. 94.
2. *Ibid.*, p. 96.
3. *Dans le labyrinthe*, Paris, éd. de Minuit, 1959, p. 10.
4. *Ibid.*, p. 11.
5. *Ibid.*, p. 14.
6. *Ibid.*, pp. 15-16.

> *...la mouche poursuit sa ronde, sur le plafond blanc,*
> *passant maintenant à proximité de la fissure qui*
> *gâte l'uniformité de la surface...*
>
> *Il faudrait se lever pour aller voir de plus près*
> *en quoi consiste... ce défaut : est-ce bien une fente*
> *ou un fil d'araignée, ou toute autre chose? Monter*
> *sur une chaise serait sans doute nécessaire, ou même*
> *sur un escabeau.*
>
> *Mais, une fois debout, d'autres pensées détourne-*
> *raient vite de ce projet-là : le soldat devrait ainsi,*
> *d'abord, retrouver la boîte à chaussures... afin de s'en*
> *aller la remettre à son destinataire* [1].

La fissure gâte l'uniformité de la surface, la surface idéale étant sans fente. Elle est continue, pleine,
opaque, il n'y a pas d'interruption, de distance à
l'intérieur de sa propre structure. Si Robbe-Grillet
s'était scrupuleusement tenu à la description des
surfaces sans s'arrêter aux fissures, et une seule
fissure suffit, il n'y aurait pas eu de roman. Mais
tout l'intérêt des surfaces est dans la fissure. C'est
là que s'arrête le regard, c'est le lieu de la conscience,
c'est la conscience qui fait la fissure. Le « pour-soi »
sartrien est une fissure dans la surface robbegrilletienne. La fissure est une image de détresse :

> *L'en-soi est plein de lui-même et l'on ne saurait*
> *imaginer plénitude plus totale, adéquation plus*
> *parfaite du contenu au contenant : il n'y a pas le*
> *moindre vide dans l'être, la moindre fissure par où*
> *se pourrait glisser le néant* [2].

La fissure, dans le roman de Robbe-Grillet représente toujours un manque, c'est l'image de ce
« creux » dont Robbe-Grillet dit qu'il est toujours
au centre de la réalité humaine.

1. *Dans le labyrinthe*, p. 204-205.
2. Sartre, *L'Être et le néant*, p. 116.

Dans le *Labyrinthe*, la première absence, l'absence centrale, c'est le destinataire de la boîte. Dans le passage qu'on vient de lire, fissure et destinataire font partie de la même image. Le soldat sans nom, qui finit par perdre même son numéro matricule, ce soldat doublement anonyme marche à travers la nuit dans une ville déserte, à la recherche d'un destinataire. Il serait trop facile de voir dans ce destinataire une quantité de figures symboliques; il serait plus vain encore d'en choisir une et dire : le destinataire, cela veut dire ceci ou cela. Un tel choix serait inutile, en trop, un contresens même. Le roman veut demeurer une ouverture, un réceptacle à tout ce que l'on veut y mettre.

Ce qui est certain, c'est qu'il *devrait* y avoir un destinataire et que ce destinataire est inexistant. Il existe provisoirement, pendant la durée du roman.

> *Probablement d'ailleurs ne s'était-il proposé comme destinataire provisoire que pour des raisons de commodité* [1].

Raisons de commodité de qui? Du romancier à n'en pas douter qui a besoin d'un destinataire comme d'une figure de l'impossible.

En quoi consiste cet impossible? Le soldat a oublié le nom de la rue du rendez-vous; le destinataire est le soldat lui-même.

> *— Je cherche une rue... dit le soldat, une rue où il fallait que j'aille.*
> *— Quelle rue?*
> *— Justement, c'est son nom que je ne me rappelle pas* [2].

1. *Dans le labyrinthe*, p. 215.
2. *Ibid.*, p. 57.

Et plus loin :

> *En dépit de ces raisonnements, le soldat conserve*
> *l'esprit troublé par un tel défaut dans ses souvenirs*[1].

Au défaut dans les souvenirs, au trouble fondamental de la mémoire chez les personnages de
Robbe-Grillet, s'ajoute l'incertitude de la conscience
et les imprécisions de la connaissance, deux données
également caractéristiques du roman de Robbe-
Grillet :

> *Il ne connaissait pas la ville. Il a pu se tromper*
> *d'endroit. C'était au croisement de deux rues per-*
> *pendiculaires, près d'un bec de gaz. Il avait mal*
> *entendu, ou mal retenu, le nom des rues. Il s'est fié*
> *aux indications topographiques, suivant de son*
> *mieux l'itinéraire prescrit. Lorsqu'il a cru être*
> *arrivé, il a attendu. Le carrefour ressemblait à la*
> *description fournie, mais le nom ne correspondait*
> *pas à la vague consonance gardée en mémoire. Il a*
> *attendu longtemps. Il n'a vu personne*[2].

Les trous dans la mémoire, les lacunes dans la
connaissance, les blancs dans les images de la
conscience : telles sont les hantises littérales du
roman, et ces défauts font de l'itinéraire du soldat
une marche qui tourne en rond.

Pendant un certain temps, on avait l'impression,
on pouvait avoir l'impression brièvement, comme
le soldat, que l'homme « aux petites guêtres grises »
était le destinataire de la boîte. Mais voilà qu'il
« ne donnait plus le moindre signe de connivence[3] ».
Le mot « connivence » comme le mot « complicité »
et « communion » sont rarement employés par
Robbe-Grillet; quand ils le sont, c'est avec une

---

1. *Dans le labyrinthe*, p. 191.
2. *Ibid.*, p. 208.
3. *Ibid.*, p. 152.

intensité destructrice. Ils sont toujours employés
négativement et pour signifier, soit l'absence absolue
de toute communion, soit la brisure de toutes relations humanistes. Deux phrases de Robbe-Grillet
vont illustrer ces remarques :

> *L'homme regarde le monde, et le monde ne lui
> rend pas son regard. L'homme voit les choses et il
> s'aperçoit, maintenant, qu'il peut échapper au pacte
> métaphysique que d'autres avaient conclu pour lui* [1]...

Ce personnage, dont le soldat voulait faire le
destinataire de son paquet, car il fallait bien que
quelqu'un devienne ce destinataire et consente à
recevoir ce qui faisait marcher le soldat, ce qui était
pour lui une question de vie ou de mort, ce personnage qui, dans un roman traditionnel, deviendrait Dieu ou une figure métaphysique analogue,
n'est ici qu'une figure ironique provisoire, prétexte
à l'errance du héros.

Ainsi, loin de reconnaître qu'il y ait des rapports
quelconques entre le soldat et lui-même, l'homme
aux petites guêtres grises accule le soldat à sa propre
image de lui-même. Il a vu, dit-il, un homme qui
revenait au lieu du rendez-vous. Mais :

> *...ce dernier argument est sans grande valeur, il
> s'en rend compte, car lui-même est revenu justement
> à de nombreuses reprises... Alors, dit le soldat, c'est
> moi, aussi bien, que vous avez vu* [2].

De toutes les absences dans les romans de Robbe-
Grillet, celle du *Labyrinthe* est peut-être la plus
féconde. Elle est conçue de telle manière que toutes
les imaginations du lecteur peuvent s'y exercer. Tout
ce qu'on imagine pour remplir cette absence est

---

1. « Nature, humanisme, tragédie », p. 588-589.
2. *Dans le labyrinthe*, p. 154-155.

également possible. L'ordre du roman est tel que
tout s'y recoupe, tout s'y imbrique de sorte que
cette absence originaire, cette non-existence du destinataire projette sa lumière devant chaque pas du
soldat, illuminant toute sa marche inutile. La tradition du héros engagé dans un itinéraire symbolique
nous est familière : de l'Ulysse grec à l'Ulysse irlan-
dais, toute une littérature a exploité les possibilités
humaines du voyage dans l'espace. L'originalité de
l'itinéraire du *Labyrinthe*, c'est que sa destination
est le point de départ, la mort au bout d'une marche
circulaire. Un art lucide, médité à un haut degré,
est mis en mouvement pour ne rien dire, pour empêcher que soit dit quelque chose, le romancier étant
un homme « qui n'a rien à dire ».

Malgré les protestations de Robbe-Grillet dans
l'avant-propos au *Labyrinthe*, la marche circulaire
du soldat devient allégorie. Si le soldat piétine, si
la topographie de la ville est telle que le soldat ne
peut s'y retrouver et qu'il se retrouve toujours au
même endroit, l'allégorie devient une allégorie du
piétinement. Le lecteur est invité à ne pas voir dans
« les choses, gestes, paroles, événements, qui lui sont
rapportés... ni plus ni moins de signification que
dans sa propre vie, ou sa propre mort [1] ». Soit. Mais
il faut alors se demander en quoi consiste cette
absence de signification dans la vie et dans la mort,
et si cette absence de signification n'est pas condam-
née à signifier, telle une hydre à qui on tranche les
têtes en vain.

Robbe-Grillet insiste que, si la métaphysique était
la clef de ce livre, « ce serait un très mauvais livre [2] ».
Identifier les déplacements du héros du *Labyrinthe*

---

1. L'avant-propos au *Labyrinthe*.
2. « Entretien » (*L'Express*, 8 octobre 1959).

à l'image traditionnelle du héros en voyage symbolique serait, sans doute, un contresens. Car si le
voyage du caractère ulysséen était une quête de soi
et de valeurs, le soldat du *Labyrinthe* devient une
démolition systématique de l'itinéraire métaphysique créateur de la personne humaniste.

Le héros de Robbe-Grillet commence à chercher
son chemin après avoir subi une défaite — la défaite
à Reichenfels — et cette quête, n'aboutissant à
rien, se termine par la mort du héros. La signification de cet itinéraire serait-elle entre cette défaite
et cette mort? Commencer par une défaite, finir par
la mort, n'est-ce pas avoir vécu pour la mort?

La plupart des critiques donnent franchement une
interprétation tragique à ce roman tandis qu'ils évi-
taient ce terme en parlant des autres romans de
Robbe-Grillet. Yves Berger voit dans ce roman
« l'affirmation du tragique de l'existence humaine [1] »,
et Bruno Hahn conclut qu'il s'y agit de « la tentation de Robbe-Grillet voulant dépasser le désespoir par l'indifférence [2] ». Cette dernière déclaration est quelque peu arbitraire mais l'analyse de
Bruno Hahn, qui écrit pour la revue de Sartre, nous
intéresse particulièrement puisqu'elle est une des
rares études faites d'un point de vue socialement
engagé [3]. Comme Robbe-Grillet lui-même affirme
que « le seul engagement possible, pour l'écrivain,
c'est la littérature [4] », le jugement que porte un
critique sartrien sur l'œuvre de Robbe-Grillet per-

1. « Dans le Labyrinthe » (*La Nouvelle Revue Française*, janvier
1960, p. 117).
2. « Plan du Labyrinthe de Robbe-Grillet » (*Les Temps modernes*,
juillet 1960, p. 165).
3. La critique contemporaine, comme le roman contemporain, se
caractérise par son absence de point de vue engagé.
4. « Le " Nouveau Roman " » (*La Revue de Paris*, septembre
1961).

met d'évaluer la distance entre la génération de
Sartre et la génération représentée par Robbe-
Grillet. La lecture du *Labyrinthe* conduit Bruno
Hahn à déclarer :

> *On voit le danger que présente cette acceptation
> de l'aliénation. Imaginons un prolétariat se sou-
> mettant à cette métaphysique* [1].

Quelle métaphysique? Il s'agit de la métaphysique de l'absence, mais surtout de l'acceptation
sans révolte et sans protestation de l'absence. Qu'on
songe à la dignité que trouvaient des générations
littéraires — telle la génération de Camus — dans
l'acte de protestation et de révolte. Quand Bruno
Hahn dit que Robbe-Grillet essaie de « dépasser le
désespoir par l'indifférence », il touche à quelque
chose d'essentiel, seulement il ne s'agit ni de désespoir ni d'indifférence; ce sont des termes de tonalité
émotive mis entre parenthèses par les romanciers
de l'absence tels Kafka et Robbe-Grillet. Qu'on se
place devant la nécessité de parler d'un malaise et
d'une anxiété qui n'existent pas encore sous forme
littéraire et on verra pourquoi le langage de Robbe-
Grillet est si inquiétant pour le prolétariat dont
parle Bruno Hahn [2].

Ce langage enregistre le « silence déraisonnable du
monde » de Camus, la contingence de Sartre (« l'es-

---

1. « Plan du *Labyrinthe* de Robbe-Grillet » (*Les Temps modernes*,
juillet 1960, p. 168).
2. Le roman auquel rêve Robbe-Grillet est celui qui aura supprimé ou plutôt empêché de naître tout soupçon de tragédie. La
tragédie, on l'a vu amplement, est le chemin de la nécessité et de la
réconciliation. « Je vous accorde, dit Robbe-Grillet, que *Dans le
labyrinthe* est finalement récupérable. Si je pensais qu'il ne l'était
pas, je ne continuerais pas à écrire; j'aurais atteint mon but »
(« Entretien », *L'Express*, 8 octobre 1959).

sentiel c'est la contingence [1] »), mais avec cette différence capitale, différence telle qu'elle annule les
rapprochements, que le roman de Robbe-Grillet
n'émet aucun cri de protestation, d'angoisse, aucun
symbole de passion tragique.

Pour parvenir à une écriture d'une telle pureté, il faudrait atté-
nuer, voire couper tous les rapports entre les hommes et entre l'univers et l'homme, tout au moins les rapports susceptibles d'une configuration tragique. Or, Robbe-Grillet réussit précisément à suspendre
les rapports à un degré sans précédent dans l'histoire littéraire et
cette absence de liens est une absence de communion, une absence
de solidarité. D'où l'inquiétude de Bruno Hahn, d'où le sentiment
de danger dont il parle.

1. *La Nausée*, Paris, Gallimard, 1962, p. 166.

CHAPITRE II

*Mais où se trouve donc le fondement sur
lequel, dans la banalité quotidienne, être certain?*

Heidegger.

LA DISSOLUTION DE LA RÉALITÉ
OU LA FIN
DES CERTITUDES ROMANESQUES

*La réalité ne peut pas apparaître dans une his-
toire unique, mais dans une juxtaposition d'histoires incertaines* [1].

Qu'est-ce qui viendra remplir le vide qui se trouve
au cœur du roman de Robbe-Grillet? Ce sera la
« juxtaposition d'histoires incertaines ». C'est à propos des *Gommes*, en 1953 déjà que Robbe-Grillet
parle du réel comme d'un foisonnement d'incertitudes. En cela, les remarques théoriques de Robbe-
Grillet sont une confirmation précise de ses romans :

*...le livre ne rapporte rien d'autre que son expérience
[l'expérience du héros], limitée, incertaine* [2].

Cette observation date de 1961 et Robbe-Grillet y
revient dans ces termes :

1. Robbe-Grillet, « Entretien » avec Jacques Brenner (*Arts*, 20-
26 mars 1953).
2. « Le " Nouveau Roman " » (*La Revue de Paris*, septembre
1961).

> *Les significations du monde, autour de nous ne
> sont plus que partielles, provisoires, contradictoires
> même, et toujours contestées. Comment l'œuvre d'art
> pourrait-elle prétendre illustrer une signification
> connue d'avance quelle qu'elle soit?... La réalité
> a-t-elle un sens? L'artiste contemporain ne peut
> répondre à cette question : il n'en sait rien* [1].

Nous sommes en face d'un parti pris d'incertitude qui, toutefois, ne ressemble en rien à un scepticisme philosophique facile. Pourtant, une tendance
importante du roman de Robbe-Grillet est une tendance vers une nouvelle qualité de scepticisme, scepticisme devant le réel. Il ne s'agit pas d'un scepticisme intellectuel mais plutôt existentiel, qui engage
l'être tout entier, son mode de vie.

La science contemporaine, l'idée qu'elle se fait
de l'univers, exerce sans aucun doute une grande
influence sur Robbe-Grillet. A chaque fois qu'on lui
demande à quelle philosophie se rattache son roman,
Robbe-Grillet répond : « Je ne suis pas de formation
philosophique mais scientifique [2] ». Selon un principe scientifique contemporain, les rapports entre
hommes et choses sont régis par « l'ensemble des
causes qui ne sont pas contrôlées par l'expérimen-
tateur dans une expérience donnée [3] ». C'est le langage des scientifiques et ce qu'il exprime reflète
une des théories les plus déconcertantes pour les
recherches scientifiques aussi bien qu'épistémolo-
giques. En renonçant si radicalement à l'explication
des gestes et des paroles du personnage aussi bien
qu'aux rapports des causes et des effets, le roman

1. « Le " Nouveau Roman " » (*La Revue de Paris*, septembre 1961).
2. Dans le débat intitulé : « Révolution dans le roman? » (*Le Figaro littéraire*, 29 mars 1958).
3. « Entretien » avec Jean Carlier (*Combat*, 6 avril 1953).

de Robbe-Grillet rejoint l'image que se font les physiciens de la nature [1]. Dans tous les livres qui traitent
de l'univers tel que le conçoit la physique moderne,
on trouve des phrases telles que : « La plupart des
physiciens modernes considèrent... qu'il est naïf de
vouloir spéculer sur la véritable nature de quoi que
ce soit [2]. » On ne pense pas, d'ailleurs, qu'il s'agisse
là de limites provisoires des connaissances humaines
mais d'un état définitif [3].

L'incertitude est ce qui frappe, dès le début, dans
chacun des romans de Robbe-Grillet. Dans *Les*

1. « La physique des quanta fait s'écrouler aussi les deux piliers
de la science ancienne, la causalité et le déterminisme. Utiliser la
notion de statistique et de probabilités amène à renoncer à l'idée
que la nature puisse montrer une liaison inexorable de la cause avec
l'effet. En admettant une marge d'incertitude, on renonce à l'ancien
espoir que la science pourra un jour donner la position et la rapidité
de chaque corps matériel dans l'univers, et prédire l'histoire de l'univers jusqu'à la fin des temps. Une des conséquences accessoires de
cet abandon est de donner un nouvel argument en faveur de l'existence de la libre volonté. Car si les événements physiques sont indé-
terminés, et l'avenir imprévisible, alors peut-être cette quantité
inconnue que nous nommons « esprit » peut encore guider les des-
tinées de l'homme à travers les incertitudes infinies d'un univers
capricieux » (Lincoln Barnett, *Einstein et l'univers*, Paris, Gallimard,
1951, p. 45).

2. *Ibid.*, p. 41. On sait quelle grande partie de la littérature était
influencée par le déterminisme scientifique à partir du XVIIIe siècle :
de Diderot à Taine et à Zola, la lignée était continue. Or, la physique
moderne relègue les idées déterministes au domaine de la *spéculation* : « On est libre de croire à un déterminisme métaphysique, mais
celui-ci n'interviendra jamais dans la science, il ne pourra s'y intro-
duire d'aucune manière, il demeurera éternellement extra-scienti-
fique... » (Jean-Louis Destouches, *Physique moderne et philosophie*,
Paris, Hermann et Cie, 1939, p. 67).

3. « Il règne, dans l'univers atomique, une indétermination fondamentale que les perfectionnements des méthodes de mesure et
d'observation ne pourront jamais dissiper. La part du caprice dans
le comportement des atomes ne peut pas être imputée à l'intelligence
grossière de l'homme. Elle s'enracine dans la nature des choses... »
(Lincoln Barnett, *Einstein et l'univers*, p. 42).

Gommes, où il n'avait pas encore acquis le langage
implicite de la forme même, Robbe-Grillet a encore
recours à des phrases explicatives telles que : « A
mon avis, cette lettre ne prouve rien du tout. —
Alors on ne prouvera jamais quoi que ce soit [1]. »
Le mot-clef, à cet égard, est le mot « improbable »
qui revient comme conclusion aux très nombreuses
hypothèses émises dans *Les Gommes*. « C'était encore
plus improbable que tout le reste [2]. » « Presque
toutes ces suppositions sont marquées d'une impro-
babilité si flagrante ...[3] »

Dans *Les Gommes*, on se le rappelle, ces suppositions étaient d'ordre ironique et satirique et servaient à remplir un vide fictif dans le récit. Ce vide
était un artifice avoué comme tel puisque le lecteur
savait, dès le début, ce que le héros ignorait : la
nature de l'acte principal. La qualité véritable du
monde robbegrilletien n'est pas présente dans *Les
Gommes* : l'auteur et le lecteur s'y trouvent dans la
situation privilégiée de l'auteur classique omniscient. C'est pourquoi le « vide au cœur du monde »,
centre du roman de Robbe-Grillet, ne devient phénomène véritable qu'à partir du *Voyeur*.

Ce que Robbe-Grillet affirme de Faulkner, ce qui
semble l'avoir impressionné dans le procédé faulk-
nérien est précisément l'ambiguïté, l'incertitude des
rapports [4] :

1. *Les Gommes*, p. 153.
2. *Ibid.*, p. 50.
3. *Ibid.*, p. 178.
4. Dans la mesure du possible, nous ne parlerons des influences
sur Robbe-Grillet que dans les cas où Robbe-Grillet lui-même les
aura mentionnées. Nous avons remarqué que chaque lecteur est
convaincu des analogies et des sources différentes. On a vu, par
exemple, dans Georges Simenon une source importante de l'aspect
policier du roman robbegrilletien. Or, Robbe-Grillet déclare : « Simenon? Je le connais mal (deux romans, je crois, dont j'ai oublié les
titres) » (« Entretien » avec J. Carlier, dans *Combat*, 6 avril 1953).

> *Chez Faulkner on trouve deux personnages qui portent le même nom dans un même roman. Cette identité, on peut prétendre qu'elle montre des hérédités, des liens, des courants à l'intérieur d'une même famille. C'est possible. Mais au moment précis où on lit, il y a ambiguïté sur le personnage auquel se rapporte la phrase, et cette ambiguïté ruine la notion traditionnelle de personnage. Même observation pour l'histoire... Il y a dans ses romans une quantité d'histoires, mais vraiment il ne les raconte pas. Je dirai même qu'il fait le contraire : il les détruit plutôt [1].*

On voit l'intérêt de ces remarques sur Faulkner. Ce que Sartre avait dégagé en 1939 comme essentiel dans le roman de Faulkner, allait devenir de plus en plus le phénomène important dans le roman de Robbe-Grillet : « Quand on lit *Le Bruit et la fureur*, on est frappé d'abord par les bizarreries de la technique. Pourquoi Faulkner a-t-il cassé le temps de son histoire et en a-t-il brouillé les morceaux [2]? »

C'est ainsi que débute l'étude de Sartre sur Faulkner. On voit que ce qui le frappe c'est le « désordre » du temps. Or, ce que Sartre appelle les « bizarreries » faulknériennes s'est révélé aujourd'hui, dans le roman de Robbe-Grillet tout au moins, comme l'étoffe même de la réalité. Robbe-Grillet ne trouve plus rien de « bizarre » dans l'ordre romanesque de Faulkner. Ce monde du brouillé, de l'ambigu, de l'indécis, est le monde vrai, le monde le moins faux.

La réalité humaine, dans le roman contemporain, est donc à l'antipode de la vision cartésienne du monde, vision d'ordre intellectuel et de nécessité rationnelle. Ce roman rompt ainsi avec une longue

---

1. Débat intitulé : « Révolution dans le roman? » (*Le Figaro littéraire*, 29 mars 1958).
2. « A propos de *Le Bruit et la fureur...* » (*Situations, I*, p. 70).

et vénérée tradition de « clarté ». Le roman français
n'avait pas rompu avec la tradition de la composition rationnelle. En comparaison avec le roman de
Faulkner, le roman français restait déterminé par
la logique. Le plan de *La Nausée* est, on ne peut plus,
rationnel puisque ce roman est écrit sous forme de
journal. *La Condition humaine* de Malraux est également divisée en journées, les événements y obéissent
donc à une chronologie rationnelle. C'est une analyse
également raisonnée, analyse qui à chaque instant se
justifie devant la raison qui, chez Proust, sert, par
exemple, à désagréger la personnalité. Ce rationalisme est déjà très ambigu dans *L'Étranger* de
Camus, il y est même sérieusement entamé. La chronologie y est trop intentionnelle pour ne pas devenir
suspecte. Les distinctions entre « hier » et « aujour-
d'hui », entre « samedi » et « dimanche », etc., y
sont trop soulignées pour ne pas impliquer qu'il y a
artifice dans un tel ordre romanesque.

On pourrait diviser les incertitudes dans les
romans de Robbe-Grillet, en trois groupes : incertitude en face du personnage; incertitude au sujet
de ce qui arrive dans le roman, puisque, selon
Robbe-Grillet, la réalité n'est pas dans une histoire
unique mais dans une juxtaposition d'histoires
incertaines; et incertitude en face des objets.

Les trois personnages principaux du *Voyeur* sont :
Mathias, Julien Marek et la jeune fille. Ceux-ci,
comme les autres personnages de Robbe-Grillet,
n'ont pas d'identité, pas de passé, pas d'avenir; ils
n'ont que ce qui se constitue au fur et à mesure dans
leurs imaginations dont la description est le roman.
Ce qu'elle nous livre nous laisse dans l'incertain.
Qui est le « voyeur »? En relisant ce roman qu'on
avait annoté au cours des première et deuxième
lectures, on s'aperçoit que, tantôt Mathias, tantôt

Julien, tantôt Maria Marek apparaît comme le
« véritable » voyeur. A la première lecture, on était
sûr, évidemment, que c'était Mathias. A la dernière
rien n'est moins certain : Mathias, il faut bien le
reconnaître, n'est pas le voyeur, ou bien il l'est le
moins, il l'était moins que les autres au début du
roman.

Mais d'abord quel est le sens du mot « voyeur »?
Le Grand Larousse définit ainsi « voyeur » : « qui
regarde, qui assiste à, en curieux ». En argot, dit le
même dictionnaire : « personne qui assiste, qui aime
à assister sans être vue à des scènes de lubricité ».
Les dictionnaires anglo-saxons donnent à ce mot,
presque sans exception, un sens psychopathologique.
Dans cette étude on se limitera, au contraire, au
sens originaire de : « celui qui regarde, qui voit ».
Par un parti pris d'abord : le sens pathologique
concerne la pathologie et non la réalité représentée
dans un roman, et ensuite pour les raisons suivantes :
le « voyeur » est un type d'homme décrit par Robbe-
Grillet et qui ne concerne pas seulement le personnage du roman qui porte ce titre. Ce roman à lui
seul suffit, d'ailleurs, à démontrer qu'il ne s'agit pas
d'un « cas », d'un seul individu aux goûts particu-
liers, mais d'une atmosphère et d'un type d'homme.
Comment expliquer autrement le fait que tantôt
un personnage tantôt un autre a été identifié par
les critiques comme *le* voyeur du roman?

A la question posée à Robbe-Grillet s'il y avait un
rapport entre la prépondérance de la perception
visuelle dans tous ses romans, et le fait que l'un
d'eux a pour titre *Le Voyeur*, Robbe-Grillet a
répondu que bien sûr il y en avait et se mit à parler
aussitôt de *La Nausée* de Sartre. Dans ce roman,
dit-il, les perceptions ne sont pas d'ordre visuel. Si
elles l'étaient, tout le pathétique des rapports entre

personnage et choses serait supprimé. En d'autres
termes, le regard corrigerait le mal, le regard cou-
perait les liens entre homme et choses, maintien-
drait une distance entre eux, et cette distance
garantirait une conscience *non* malheureuse chez
l'homme. Dans *L'Immortelle*, la plus récente œuvre
de Robbe-Grillet, le héros *voit* le monde à travers
un système de jalousie. Tout le film, dirait-on, se
déroule devant le regard, il est la création du regard.
Ce personnage est donc une répétition du type
humain créé par Robbe-Grillet, un type dont l'activité consiste à voir, dont le mode de vie est princi-
palement visuel, qui est donc « voyeur ».

Ce qui paraît certain, c'est que Mathias est ven-
deur de montres pendant son séjour dans l'île qui,
prétend-il, est son pays natal :

> *Pour le pays, vous savez, je le connais déjà : c'est
> là que je suis né!... Et comme preuve de l'affirma-
> tion, il donna son nom de famille* [1]...

Mais « des noms comme celui-là », conclut un
personnage, « on en trouvait partout [2] ». Ainsi se
trouve escamoté le nom de famille du héros. Il n'a
pas d'importance d'ailleurs. Son passé se réduit à
la rencontre fortuite d'un marin qui prétend le
connaître :

> *Son nouvel ancien camarade parlait à une cadence
> de plus en plus rapide... Mathias renonça bientôt à
> démêler, dans le flot des paroles sans cohérence,
> d'éventuelles indications sur le passé commun qui
> était censé le lier au personnage* [3].

Si le marin ne parvient pas à constituer Mathias,
à lui donner un passé, Mathias, à son tour, ne peut

---

1. *Le Voyeur*, p. 49.
2. *Ibid.*
3. *Ibid.*, p. 129.

rien pour lui : il ne peut pas le re-connaître, lui créer
une personne :

> « *J'ai connu un Robin autrefois, dit celui-ci, quand
> j'étais tout gosse, il y a une trentaine d'années...* »
> *Et il se mit à évoquer, de façon assez vague, des sou-
> venirs d'école applicables à n'importe qui dans l'île.*
> « *Robin, ajouta-t-il, c'était un costaud! Jean, je
> crois qu'il s'appelait, Jean Robin* [1]*...* »

A un autre moment, Jean se modifie en Pierre :

> — *Pierre.* — *Quel Pierre?* — *Eh bien, Pierre,
> votre ami!... Il ne s'appelait donc pas Jean? Ni
> Robin, non plus, peut-être* [2]*...?*

Dans le roman traditionnel, les personnages se
formaient réciproquement, ils se donnaient une personne. Il suffisait qu'ils s'appellent par leur nom
pour qu'ils se reconnaissent eux-mêmes et les uns
les autres. Mathias, d'ailleurs, ne se connaît pas
mieux à travers sa propre mémoire :

> *Rien d'autre ne l'attirait* [dans cette île]*, ni amitié
> de jeunesse ni vieux souvenirs d'aucune sorte. Les
> maisons de l'île se ressemblaient tant, qu'il n'était
> même pas certain de reconnaître celle où il avait
> passé presque toute son enfance et qui, sauf erreur,
> était aussi sa maison natale* [3].

Le complet manque de repère « empêchait... le
voyageur de savoir à quoi s'en tenir sur sa propre
situation [4] ».

La jeune fille que Mathias viole et précipite dans

---

1. *Le Voyeur*, p. 61.
2. *Ibid.*, p. 180-181.
3. *Ibid.*, p. 25.
4. *Ibid.*, p. 144. « Ne pas savoir à quoi s'en tenir sur sa propre
situation » est une phrase qu'on trouve souvent et presque *verbatim*
dans *Le Procès* de Kafka.

la mer a une surabondance de noms là où d'autres
personnages n'en ont aucun. Elle s'appelle tantôt
Violette, tantôt Jacqueline, mais la plupart du
temps elle n'a pas de nom : elle n'est qu'une image
indistincte et obsessionnelle qui hante l'imagination
de Mathias. M. Jean Hytier suggère qu'il ne s'agit
pas ici de la même jeune fille mais de plusieurs
expériences. Cela est certainement juste, nous tenons
seulement à attirer l'attention sur la dissolution de
l'image du personnage traditionnel en tant qu'individu, en tant que personnalité unique.

Julien Marek, comme les autres membres de sa
famille d'ailleurs, possède un nom complet, c'est lui
qui bénéficie d'une description étonnamment précise. C'est pourtant lui qui demeure le plus énigma-
tique. Julien Marek est le véritable voyeur du
roman. Il faut citer une bonne partie de cette description pour mesurer combien elle est extérieure,
simple, neutre, « en surface » et, en même temps,
extrêmement riche en possibilités.

Le point de vue du père sur Julien :

> *Un gamin qui n'a pas tout son bon sens* [1]...

Vues successives de Mathias :

> *Mathias comprit... ce qu'il y avait de singulier
> dans ces yeux : ils ne trahissaient ni effronterie ni
> malveillance, ils étaient affligés tout simplement
> d'un très léger strabisme* [2].

Et, plus loin :

> *Un défaut de vision, certainement, troublait l'ex-
> pression du jeune homme, mais il ne louchait pas.
> C'était autre chose... Une myopie excessive? Non* [3]...

1. *Le Voyeur*, p. 193.
2. *Ibid.*, p. 210.
3. *Ibid.*

Comme Julien hésite à manger le bonbon que lui offre Mathias :

> *Celui-ci n'était-il pas plutôt un peu simple d'esprit?...*
> *— Tiens, dit-il, prends tout le sac.*
> *— C'est pas la peine, répondit Julien. — Et il le dévisageait de nouveau... — Ou bien était-ce un œil de verre, qui rendait si gênant son regard [1]?*

Mathias est sûr que Julien sait quelque chose, que pareil regard signifie quelque chose. Mais comment être certain de ce que sait l'autre? Il s'abandonne donc à une série d'imaginations dont nulle « ne tient debout », devenant ainsi la proie proprement robbe-grilletienne d'une multiplication d'interprétations toutes également incertaines :

> *Une autre interprétation s'imposait... Mais il fallait autre chose que des soupçons — même précis — pour autoriser une telle assurance. Julien avait « vu ». Le nier ne servait plus à rien. Seules les images enregistrées par ces yeux, pour toujours, leur conféraient désormais cette fixité insupportable.*
> *Cependant c'étaient des yeux gris très ordinaires [2]...*

Et la dernière image des yeux de Julien :

> *Le jeune homme se taisait. Il regardait Mathias droit dans les yeux, de ses yeux rigides et bizarres — comme inconscients, ou même aveugles — ou comme idiots [3].*

---

1. *Le Voyeur*, p. 210.
2. *Ibid.*, p. 214.
3. *Ibid.*, p. 215. On ne peut guère douter que la vision de l'idiot Benjy de *Le Bruit et la fureur* ait influencé le portrait de Julien Marek. La conscience de Benjy est la plus étonnante partie du roman. Or, Julien Marek est aussi central au roman que Benjy : tous les deux

Nous voulions attirer l'attention sur l'incertitude qui règne dans l'identité des personnages, et nous voilà devant des détails multiples et fort précis sur Julien. C'est tout au moins l'impression qu'on obtient à la lecture. A la vérité, ces renseignements ne servent pas à préciser les choses mais à les brouiller : on en sait moins sur Julien que sur les autres personnages. L'entassement des détails, la multiplication de petits faits « réalistes », est un des aspects les plus typiques du style de Robbe-Grillet. Quand son roman se met à fournir des descriptions minutieuses, quand il ne s'arrête pas de donner des renseignements exacts, on peut être sûr que l'homme, dans le roman de Robbe-Grillet, est dans l'obscurité la plus totale. Dans ce roman, les redondances de précisions sont toujours suspectes, les descriptions trop circonstanciées toujours inquiétantes. L'abondance de précisions ne cerne jamais le vrai : elle est excessive et recouvre toujours soit le mensonge, le faux, l'angoisse; bref, plus les termes sont nets et clairs, plus on se trouve dans un monde confus, brouillé et difficile à comprendre.

Ainsi Mathias essaie d'examiner objectivement, calmement le regard de Julien. Il est, dirait-on, déterminé à ne pas contaminer le monde par ses propres obsessions. Il conclut donc au « strabisme ». Quoi de plus objectif? N'étant pas satisfait : « myopie excessive », quoi de plus non subjectif? « Un simple d'esprit, un œil de verre? » « Des yeux inconscients, aveugles, idiots? » Mathias parcourt la gamme de son imagination scolaire et

sont de « simples d'esprit ». Dans les deux cas, le mode d'être du personnage est le regard. « A travers la barrière, entre les vrilles des plantes, je pouvais les voir frapper » (*Le Bruit et la fureur*, Paris, Gallimard, 1949, p. 21). Ainsi débute le roman, par cette vision de Benjy.

psychologique. Il a imaginé tout ce qu'il pouvait
imaginer et se retrouve dans l'impossibilité d'être
sûr.

Toutefois, ce genre de regard, on ne l'a pas à
moins d'avoir vu quelque chose que, lui, Mathias,
considère comme un crime. Mathias est sûr que
Julien *a vu.*

La grande erreur serait de conclure que Julien
est le véritable voyeur du roman, *simplement* parce
qu'il aurait assisté, en pervers, à la scène du crime.
L'identifier comme le voyeur du roman et s'arrêter
là, y limiter la portée du roman, serait en faire un
roman banal, fastidieux même. Julien est un personnage important : il est voyeur, c'est-à-dire un
type d'homme qui n'est pas témoin, qui se borne
à être spectateur.

> *...la mouette grise imperturbable décrivait une fois
> de plus, avec la même lenteur, sa trajectoire hori-
> zontale... surveillant l'eau d'un œil rond — l'eau —
> à moins que ce ne fût le navire — ou rien du tout* [1].
> *...on ne distinguait rien : seulement des taches de
> couleurs vives pointillant une toile crème — qui
> étaient aussi bien des bouquets de fleurs* [2].

La description du monde des personnages de
Robbe-Grillet, des objets qu'ils y perçoivent sont
toujours accompagnés par deux locutions conjonc-
tives caractéristiques de l'écriture de Robbe-Grillet :
« aussi bien » et « à moins que ». Parfois, Robbe-
Grillet justifie le recours à ces locutions conjonc-
tives : « Chacun de ces éléments, observé avec plus
d'attention, revêt une forme différente — d'ailleurs
incertaine [3]... » « Aussi bien », « à moins que » sont

1. *Le Voyeur,* p. 17.
2. *Ibid.,* p. 23.
3. *Ibid.,* p. 233.

des expressions interchangeables; elles apparaissent
(à côté d'un troisième terme exprimant le phénomène de l'uniformité qui sera traité plus loin) avec
une égale constance dans tous les romans de Robbe-
Grillet. Elles représentent une double attitude :
celle qui nous intéresse dans ce chapitre; l'incertitude fondamentale dont est entachée toute expérience humaine et, en deuxième lieu, et cela est
l'aspect positif de cette attitude, l'ouverture aux
interprétations multiples du roman :

> *L'expression du visage était sans changement :*
> *fermée, dure, cireuse, sur laquelle on pouvait lire*
> *l'hostilité, ou le souci — ou seulement l'absence —*
> *selon les penchants de chacun; on avait aussi bien le*
> *droit de lui prêter les desseins les plus ténébreux* [1].

La troisième catégorie concerne l' « histoire »,
élément fondamental du roman traditionnel.

> *L'histoire, dans un roman,* dit Robbe-Grillet, *ce*
> *n'est que l'anecdote.*
> . . . .
> *Le grand public continue à chercher, dans un*
> *roman, des éléments comme le personnage et l'his-*
> *toire qui n'ont plus aujourd'hui aucune réalité* [2].

L'histoire, dans un roman, n'a plus de réalité'
là-dessus l'art comme la littérature contemporaine
sont d'accord. Rien n'apparaît plus naïf et plus
illusoire que l'intrigue et l'enchaînement motivé.
L'anecdote a disparu de la peinture il y a bien long-

---

1. *Le Voyeur*, p. 60.
2. Débat intitulé : « Révolution dans le roman? » (*Le Figaro
littéraire*, 29 mars 1958). Quelques semaines avant sa mort, Faulkner
insistait, au contraire, dans une conférence qu'il était venu faire
dans l'État de New York, sur l'importance de l'histoire dans un
roman.

temps, elle disparaît radicalement du roman avec
la parution du roman de Robbe-Grillet.

Si l'histoire n'a plus de réalité, ni en tant qu'histoire de l'individu dans la société (tels les romans
du XIXᵉ siècle) ni en tant qu'histoire du destin d'un
individu (tels les romans existentiels du XXᵉ siècle),
qu'est-ce qui va devenir sujet à roman? Par rapport aux romanciers classiques, le romancier contemporain témoigne d'une grande modestie dans le
choix du sujet romanesque. (La maigreur du sujet
chez Robbe-Grillet n'est pas un des aspects les
moins frappants de ses romans.) Nous dirions donc
que ce qui se substitue aujourd'hui à l'histoire du
personnage, c'est le mode d'être du personnage [1],
sa façon de voir le monde. Ce dernier mode s'applique particulièrement au roman de Robbe-Grillet
étant donné le rôle fondamental qu'y joue le regard.

Le héros de Robbe-Grillet est son propre narrateur et il narre toujours une expérience limitée.
Dans le cas du *Voyeur*, l'expérience est un besoin
de rendre compte d'une fausse expérience : « Il
voulut parachever le récit de sa fausse journée [2]. »
Mathias doit remplir d'un faux temps le blanc dans
le récit. Il invente, à cet effet, une « succession
imaginaire des minutes entre onze heures du matin
et une heure de l'après-midi [3] ». Mais comment remplir de mensonges deux heures de sa journée si l'on

---

1. Les remarques de Gide sur l' « essence même de l'être », que le
roman n'avait pas encore élevé au rang de sujet, visent, semble-t-il,
le « mode d'être de l'homme », sujet du roman contemporain :
« Une sorte de tragique a jusqu'à présent, me semble-t-il, échappé
presque à la littérature. Le roman s'est occupé des traverses du sort,
de la fortune bonne ou mauvaise, des rapports sociaux, du conflit
des passions, des caractères, mais point de l'essence même de l'être »
(*Les Faux-monnayeurs*, Paris, Gallimard, 1925, p. 160).

2. *Le Voyeur*, p. 228.

3. *Ibid.*, p. 227.

ne peut pas savoir quand, où et par qui on a pu
être vu, si l'on a en effet la conviction de plus en
plus nette qu'on a été observé tout en n'ayant
aucune preuve de cela non plus. Mathias se trouve
dans une situation à laquelle il ne peut pas remé-
dier parce qu'il ne la connaît pas à fond, tout en
sachant qu'il est en danger.

Dans cette situation de malaise, il n'était pas
possible à Mathias de faire autre chose que ce qu'il
fit : imaginer jusqu'au délire toutes les conjectures,
toutes les hypothèses sur les personnes et le lieu de
cette journée. *Le Voyeur* devient le récit de ses imaginations de plus en plus affolées et l'agenda dans
lequel Mathias rend compte de sa fausse journée est
un agenda d'alibi. Cet alibi, et cela implique une
condamnation morale de notre société, ne lui sera
pas demandé.

La fausse journée que Mathias se donne tant de
peine à fabriquer, n'est rien d'autre qu'un moyen
de défense. La recherche d'un moyen de défense
peut avoir soit un caractère humain soit un caractère social. Ce qui est nouveau dans ce roman, c'est
que la recherche d'un alibi y devient une extrava-
gance, une activité « en trop ». La quête de l'innocence devient une passion inutile.

Qui est le personnage principal de *La Jalousie?*
A mesure qu'évolue le roman de Robbe-Grillet, on
en sait de moins en moins sur les personnages. Suivant le procédé du motif du roman dans le roman,
le roman qui est lu dans *La Jalousie* — l'emploi
des miroirs a souvent le même but que le motif :
éloigner, distancer lecteur et roman — fournit une
esquisse du héros. Elle se présente ainsi :

> *Le personnage principal du livre est un fonction-*
> *naire des douanes. Le personnage n'est pas un fonc-*

> tionnaire, mais un employé supérieur d'une vieille
> compagnie commerciale. Les affaires de cette com-
> pagnie sont mauvaises, elles évoluent rapidement
> vers l'escroquerie. Les affaires de la compagnie sont
> très bonnes. Le personnage principal — apprend-
> on — est malhonnête. Il est honnête, il essaie de
> rétablir une situation compromise par son prédéces-
> seur, mort dans un accident... Mais il n'a pas eu de
> prédécesseur, car la compagnie est de fondation toute
> récente; et ce n'était pas un accident. Il est d'ailleurs
> question d'un navire (un grand navire blanc) et
> non de voiture [1].

C'est un des passages les plus brutalement vagues
et « incertains » de toutes les descriptions de Robbe-
Grillet. S'il garde quelque chose de mystificateur et
de moqueur (telle la tendance des *Gommes*), il n'en
est pas moins essentiel au roman : le lecteur n'a
pas à chercher l'identité du héros; il n'en a pas
ou, plus précisément, il est vain de chercher à le
connaître autrement que par *sa* façon de regarder
les choses *maintenant*.

Seul, le personnage de moindre importance,
Franck, est ici revêtu d'un nom personnel. On a
l'impression qu'être investi d'un nom équivaut à une
déchéance romanesque : dans le roman de Robbe-
Grillet, un homme est d'abord une présence et non
pas d'abord un nom. Le nom ne participe plus
de la personne : l'homme est, sans être nommé.
L'héroïne n'a pas de nom, elle est désignée par la
lettre A... Le héros du roman ne peut pas en avoir,
n'étant pas représenté. Le nom, dans la littérature
classique, est toute une représentation mythique,
sociale, psychologique, morale, etc. Ainsi, les auteurs
classiques donnaient-ils pour titres à leurs tragédies
des noms. En cela, Shakespeare ne diffère pas de

1. *La Jalousie*, p. 216.

Corneille et de Racine. Le xixe siècle, grand créateur du roman de l'individu, donne pour titre à ses
romans le nom du héros : *René, Adolphe, Lucien
Leuwen, Madame Bovary*, etc.

Depuis Kafka, cependant, le roman ne cherche
plus à évoquer, ni à symboliser une figure humaine
ni à conférer une essence à un individu par un nom.
« Pourquoi, dit Robbe-Grillet, s'entêter à découvrir
comment s'appelle un individu dans un roman qui
ne le dit pas [1]? » Mais ignorer le nom du personnage, ne pas savoir d'où il vient ni où il va, c'est
demeurer étranger parmi des étrangers. Le personnage lui-même, étant sans mémoire, ne peut que
rester étranger à lui-même également.

Sans nom, sans passé, sans histoire, le personnage
de Robbe-Grillet est un homme sans « moi », un
homme qui ne s'appuie sur aucun « cogito ». Entre
ces personnages, dit Robbe-Grillet, il n'y a aucun
lien « que ceux qu'ils [créent] par leurs propres
gestes et leurs propres voix, leur propre présence,
leur propre imagination [2] ».

Ce sont les seuls rapports que Robbe-Grillet
admette entre ses personnages. Il répète souvent que
la simple présence, l'être-là du personnage suffit à la
description romanesque. Il y aurait lieu de parler des
attitudes « ontiques [3] » des personnages de Robbe-
Grillet pour les distinguer du mode d'être ontologique. Les personnages de Robbe-Grillet demeurent
en deçà de l'ontologie dans le sens où ils ne cherchent
pas à comprendre leur être, ne se posent pas de

1. « Le " Nouveau Roman " » (*La Revue de Paris*, septembre
1961, p. 11).
2. *L'Année dernière à Marienbad*, p. 11.
3. Dans le langage philosophique, « ontique » ne vise que l'étant,
« ontologique » l'être.

questions sur le sens des choses et de leur vie; ils n'ont pas besoin, dirait-on, d'ontologie.

Mais cette simple présence matérielle du personnage devient rapidement mystérieuse. Mystérieuse parce que équivoque, ambiguë, incertaine : source à imaginations infinies :

> *Sur ses lèvres closes flotte un demi-sourire de sérénité, de rêve, ou d'absence. Comme il est immuable et d'une régularité trop accomplie, il peut aussi bien être faux, de pure commande, mondain, ou même imaginaire* [1].

Maurice Nadeau dit de cette écriture qu'elle veut débarrasser le roman d' « interprétations, doutes, imaginations, ambiguïtés et équivoques, coloration particulière du monde selon les sentiments et les états d'esprit [2] ». On ne voit pas par quel chemin Maurice Nadeau a pu arriver à pareille conclusion devant un roman qui est tout entier voué à l'impossible certitude, à l'improbable vérité, à l'impossibilité où se trouve l'homme d'être autre chose qu'une *conscience absolument relative*.

Devant ce même roman, Hazel E. Barnes déclare, en parlant du mari : « We are entirely within his perceiving mind [3]. » En effet, le lecteur se trouve entièrement dans la conscience du mari, dans ses imaginations. Il faut seulement ajouter que le lecteur ne peut se trouver autre part. Ce mari, qui est absent du roman, est notre seule conscience-fenêtre sur le monde en question. En raison du rigoureux renoncement aux points de vue privilégiés et multiples, en raison de l'ascétisme passionné dans

---

1. *La Jalousie*, p. 200.
2. « Le " Nouveau Roman " » (*Critique*, août-septembre 1957, p. 713).
3. « The ins and outs of Alain Robbe-Grillet », p. 34.

le point de vue, le lecteur est renfermé dans *le mode
de voir* du mari.

> *La dame, elle est ennuyée, dit le boy. Il emploie
> cet adjectif pour désigner toute espèce d'incertitude,
> de tristesse ou de tracas. Sans doute est-ce « inquiète »
> qu'il pense aujourd'hui; mais ce pourrait être aussi
> bien « furieuse », « jalouse », ou même « déses-
> pérée [1] ».*

Le refus de s'arroger une vue privilégiée sur le
monde, refus qui caractérise l'attitude de Robbe-
Grillet, rend sa part au mystère. La conscience de
l'autre est un des grands mystères que se pose le
roman de Robbe-Grillet. Elle devient angoisse à
mesure que l'autre devient l'être dont dépend notre
être, ce qui est le cas dans *La Jalousie*. Le mari
ne peut pas *voir* (bien que son activité principale
consiste à « voir »), les images de la conscience de
sa femme. Et, faute d'être sûr, il est condamné à
ses propres imaginations. Ses imaginations vont remplir le creux dans le récit, elles vont se substituer
au réel effectif comme l'avaient fait les minutieux
mensonges de Mathias :

> *Sa voiture a pu tomber en panne, une fois de plus.
> Ils devraient être de retour depuis longtemps... A...
> devrait être de retour depuis longtemps.*
> *Néanmoins les causes probables de retard ne
> manquent pas. Mis à part l'accident — jamais
> exclu — il y a les deux crevaisons successives, qui
> obligent le conducteur à réparer lui-même un des
> pneus : enlever la roue, démonter l'enveloppe, trou-
> ver le trou dans la chambre à air à la lueur des
> phares, etc.; il y a la rupture de quelque connexion
> électrique, due à un cahot trop violent... Il y a aussi
> l'assistance qui ne se refuse pas à un autre chauf-*

1. *La Jalousie*, p. 178.

> *feur en difficulté. Il y a les divers aléas retardant*
> *le départ lui-même... Il y a enfin la fatigue du*
> *conducteur* [1]...

Il y a, à vrai dire, un nombre infini de causes
probables et même si, par hasard, l'imagination
tombait sur la vraie raison de l'absence, elle ne la
reconnaîtrait pas pour telle, faute d'un repère fixe.
A cet égard, la parole n'est d'aucun secours au personnage de Robbe-Grillet. Est-ce pour cela qu'elle
apparaît si peu sous forme de dialogue et, quand
elle se fait dialogue, c'est pour se détruire elle-même
ou pour irréaliser aussitôt ce qu'elle venait d'affirmer? La parole, dans les rapports traditionnels entre
personnages, était une caution affirmant les relations affectives. Pour Swann aussi bien que pour
le prince de Clèves, la parole est garantie de fidélité
ou, tout au moins, moyen de communication. Dans
La Jalousie de Robbe-Grillet, la parole n'a aucun
support, il n'y a rien sur quoi elle puisse se fonder.
Cet échec du langage sur le plan affectif n'est qu'un
aspect de la faillite générale du langage qu'on
constate chez Robbe-Grillet. Le langage, ici, n'est
pas chargé de *raconter* mais de décrire. Raconter
veut dire « faire le récit de » quelque chose qui est
arrivé. Du roman de Robbe-Grillet, on peut dire,
au contraire, que l'auteur y fait des descriptions qui
ne parviennent pas à devenir récit dans le sens
traditionnel. « Une description, dit M. Jean Hytier,
n'est pas un récit... parce que le contenu du roman
a une organisation chronologique [2]. » Or le roman
de Robbe-Grillet a une organisation antichronolo-
gique.

Le personnage de Robbe-Grillet sait qu'il ne sera

---

1. *La Jalousie*, p. 153-155.
2. *Les Romans de l'individu*, Paris, Les Arts et le Livre, 1928, p. 5.

jamais certain, c'est pourquoi aussi les choses autour
de lui perdent toute netteté, toute leur autonomie
et solidité spatiales :

> *Autour de la lampe à essence continuent de tour-*
> *ner les ellipses, s'allongeant, se rétrécissant, s'écar-*
> *tant vers la droite ou la gauche, montant, descendant,*
> *ou basculant d'un côté puis de l'autre, s'emmêlant*
> *en un écheveau de plus en plus brouillé, où aucune*
> *courbe autonome ne demeure identifiable* [1].

Ce passage fait partie du texte cité ci-dessus, il
se trouve dans le roman entre les deux « devrait
être de retour depuis longtemps ». On peut ainsi
noter l'extrême rigueur avec laquelle est construit
le roman. Cette cohérence et cette unité formelles
au milieu d'un monde en perpétuelle mutation, d'un
monde à l'état de glissement, finit par dévoiler sa
vraie nature : la recherche du non-réel.

Le sens de l'irréel, que cherche à provoquer le
roman de Robbe-Grillet, ne concerne pas le monde
extérieur naturel, mais le monde humain. C'est
l'irréalité qui est au fond de l'humain, c'est l'incapacité d'être de la conscience, son incapacité d'être
autre chose qu'altération perpétuelle, que glissement d'un phénomène à l'autre, bref, c'est l'impossibilité d'être que décrit ce roman.

De ce mode d'être de la conscience, Robbe-Grillet
donne une image et cette image est illustration précise de la forme de son roman :

> *A cause du caractère particulier de ce genre de*
> *mélodies, il est difficile de déterminer si le chant*
> *s'est interrompu pour une raison fortuite — en rela-*
> *tion, par exemple, avec le travail manuel que doit*
> *exécuter en même temps le chanteur — ou bien si*
> *l'air trouvait là sa fin naturelle.*

1. *La Jalousie*, p. 153-154.

> *De même, lorsqu'il recommence, c'est aussi subit,
> aussi abrupt, sur des notes qui ne paraissent guère
> constituer un début, ni une reprise.*
>
> *A d'autres endroits, en revanche, quelque chose
> semble en train de se terminer; tout l'indique : une
> retombée progressive, le calme retrouvé, le sentiment
> que plus rien ne reste à dire; mais après la note qui
> devait être la dernière en vient une suivante, sans
> la moindre solution de continuité, avec la même
> aisance, puis une autre, et d'autres à la suite, et
> l'auditeur se croit transporté en plein cœur du
> poème... quand, là, tout s'arrête, sans avoir prévenu [1].*

Ce texte, situé au milieu du roman, en représente
la meilleure image et c'est aussi la meilleure analyse
qu'on ait faite de ce roman. Elle dit l'essentiel sur la
forme même du roman.

On voit mal pourquoi Bruce Morrissette voudrait
mettre de l' « ordre » dans ce livre, de l'ordre romanesque. Il y a, dit-il, « un mouvement linéaire dans
la chronologie, depuis un début de soupçons nais-
sants vers une fin d'apaisement [2] ». Il n'est pas
exact que la fin du roman corresponde à un « apaisement ». La dernière page se termine par la phrase :
« Il est six heures et demie. » Or, cette phrase est
le point de départ du roman, c'est l'heure du départ
de A... et de Franck. Le roman se termine donc par
où il avait commencé, la conscience du narrateur va
recommencer son parcours circulaire. Le roman s'est
« interrompu », il n'est parvenu à aucune fin, à
aucun achèvement. Rien ne serait plus faux que
de lui attribuer une « fin »; cela reviendrait à dire
qu'il a eu un commencement. L'ordre du roman veut
qu'il soit difficile de déterminer si le roman s'est
interrompu pour une raison « fortuite ou bien s'il

---

1. *La Jalousie*, p. 100-101.
2. « En relisant Robbe-Grillet » (*Critique*, juillet 1959, p. 581).

trouvait là sa fin naturelle ». Le sens de cet ordre
est dans le fait que le roman est discontinué, il cesse
d'être sans qu'il y ait là une véritable fin. A cet
égard, *La Jalousie* pourrait être considérée comme
un roman de la conscience, du destin de la conscience
humaine : c'est ainsi qu'elle s'évanouit, sans autre
achèvement que celui que lui impose la contingence
de la mort.

Cette manière de s'interrompre sans nécessité
oppose *La Jalousie* à la plupart des grands romans
classiques. Leur dénouement est une *véritable fin*,
une fin qui signifie achèvement, totalité, cercle
fermé. Le roman dostoïevskien se termine par le
rétablissement d'un équilibre métaphysique : au
crime humain suit la confession et l'expiation
humaine. *Le Rouge et le noir* se termine par la mort
du héros. Il est vrai qu'il y a encore l'épisode de la
mort de Mme de Rênal, mais c'est un épisode qui
sert à nouer les fils du roman. Dans son sens profond, le roman s'achève par la mort de Julien. *Le
Procès* de Kafka, *L'Étranger* de Camus, tous ces
romans se terminent par la mort du héros. Ce sont
en fait des « morts » qui servent l'image de la vie,
qui servent à donner une forme nécessaire et une
signification à la vie du personnage.

Le troisième thème de l'incertitude est celui de
l'uniformité. Il s'exprime le plus fréquemment par
les adjectifs tels que : « uniforme, identique, semblable, le même ». Ce thème est un des plus cons-
tants dans tous les romans de Robbe-Grillet. Dans
le *Labyrinthe*, l'uniformité devient expérience d'angoisse. Chez Robbe-Grillet, l'uniformité est, d'ailleurs, l'image même du « labyrinthe », lieu où l'on
ne se retrouve pas, où l'on se perd.

Le soldat, à la recherche du carrefour où il doit
rencontrer le destinataire de la boîte,

> *...poursuit sa route vers le coin de la maison et tourne dans la rue transversale, déserte comme la précédente.*
>
> *Cette nouvelle voie le conduit, comme la précédente, à un carrefour à angle droit, avec un dernier lampadaire dressé dix mètres avant le bord en quart de cercle du trottoir, et, tout autour, des façades identiques. Sur la base en cône renversé du lampadaire s'enroule aussi une tige de lierre moulée dans la fonte, ondulée de la même manière, portant exactement les mêmes feuilles aux mêmes endroits, les mêmes ramifications, les mêmes accidents de végétation, les mêmes défauts du métal. Tout le dessin se trouve souligné par les mêmes lisérés de neige* [1].

Dans *Les Gommes* déjà, le thème de l'uniformité était fortement marqué. On se souvient que, chaque fois que Robbe-Grillet parle du « vide au cœur du monde », il déclare que ce vide finit par envahir tout, qu'il finit par être plus « concret » que ce qui l'entoure. Le *Labyrinthe* est la topographie concrète d'un lieu sans issues, d'une situation-impasse. Dans le chapitre précédent, l'absence du destinataire de la boîte s'est révélée comme le véritable centre du roman. La quête de cette figure centrale absente se fait donc à travers une topographie qui devient labyrinthe à mesure qu'elle devient uniformité et indifférenciation. L'uniformité de l'espace a été doublée par la perte de la mémoire du soldat. Déjà, dans *Les Gommes*, la ville que doit parcourir le héros est une ville où l'on se perd :

> *Toutes les maisons sont construites sur le même modèle : cinq marches conduisent à une porte vernie, en renfoncement, encadrée de plaques noires portant en lettres d'or la raison sociale de la firme; deux fenêtres à gauche, une à droite, et au-dessus quatre étages de fenêtres semblables...*

---

1. *Dans le labyrinthe*, p. 52.

> *En réalité c'est la même rue qui continue de l'autre*
> *côté du canal : même austérité... mêmes plaques*
> *de verre noir creusées des mêmes inscriptions* [1]...

Deux choses sont à remarquer dans ces descriptions dans le premier roman : l'impureté de la forme par rapport aux autres romans. Ici, Robbe-Grillet précise encore, justifie pour ainsi dire la monotonie voulue du « même » en identifiant les détails de ces répétitions. Ce réalisme situe le roman dans l'architecture, et le mode de vie de la société contemporaine. Dans les romans futurs, cette uniformité labyrinthique de la société contemporaine et de ses villes sera exprimée avec un recul formel tel que la métamorphose deviendra *allégorie*.

Si le héros du *Voyeur* ne parvient pas à se retrouver dans son île et dans sa maison natales, c'est également en raison de l'excessive monotonie, de l'excessive uniformité du décor :

> *Les maisons de l'île se ressemblaient tant, qu'il*
> *n'était même pas certain de reconnaître celle où il*
> *avait passé presque toute son enfance et qui, sauf*
> *erreur, était aussi sa maison natale* [2].

Le sentiment d'être perdu ou, plutôt, de ne pas pouvoir se retrouver s'intériorise ici par rapport aux *Gommes*, devient plus personnel, infiniment plus troublant. Ne pas retrouver sa maison natale, ne pas savoir quelle fut notre maison natale équivaut finalement à n'en pas avoir. Loin de lier l'homme à son milieu, la ressemblance sert à l'en isoler. La ressemblance devient indifférenciation.

Dans *La Jalousie*, la vision du « même » ne s'exprime plus qu'en termes organiques, à travers

1. *Les Gommes*, p. 38-39. Les pages 37, 75, 167, par exemple, en contiennent des variations.
2. *Le Voyeur*, p. 25.

156 *Alain Robbe-Grillet : Le roman de l'absence*

des éléments entièrement assimilés par le roman.
(C'est sans doute une des raisons pour laquelle *La
Jalousie* est le plus étonnant roman de Robbe-
Grillet.) Ce qui, dans les autres romans, est répétition spatiale, devient dans *La Jalousie* répétition
temporelle : le regard du mari ne « regarde » qu'une
chose, toujours la même, lui ramenant toujours la
même incertitude, le même tourment : les deux fauteuils posés trop près l'un de l'autre :

> *Ils sont disposés comme à l'ordinaire : les deux
> premiers rangés côte à côte sous la fenêtre, le troi-
> sième un peu à l'écart, de l'autre côté de la table
> basse* [1].

Toutefois, même dans *La Jalousie*, un équivalent
spatial est offert sous la forme de cris d'oiseaux,
équivalent qui sert à varier le thème de l'indifférenciation :

> *Cependant tous ces cris se ressemblent; non qu'ils
> aient un caractère commun facile à préciser, il s'agi-
> rait plutôt d'un commun manque de caractère* [2]...

Dans le *Labyrinthe*, l'uniformité atteint des proportions telles que toute la ville s'estompe en une
façade identique, une surface toujours semblable
dont les rues sont recouvertes de neige que ne sil-
lonne aucun pas d'homme. La neige est un élément
niveleur idéal. La représentation du monde est ici
sans perspective aucune et cet aplatissement de
l'espace est renforcé par une rigoureuse suppression
du temps.

> *...le soldat regarde ensuite la rue, vide d'un bout à
> l'autre. S'étant retourné vers l'extrémité opposée, il*

1. *La Jalousie*, p. 44.
2. *Ibid.*, p. 31; on trouve une modulation spatiale du même thème
à la page 149, par exemple.

*retrouve, une fois de plus, la même perspective sans
profondeur* [1].

On peut se demander pourquoi Robbe-Grillet a
consenti à un titre aussi porteur de mythologies,
aussi chargé de significations, que le mot « labyrinthe ». Ce n'est pas un mot, c'est un archétype,
et il suffit de le prononcer pour qu'éclate une série
d'images culturelles et psychologiques. Bien qu'il
ait composé ce roman avec une vigilance extraordinaire, bien qu'il l'ait écrit, comme il dit, de « telle
façon qu'il y a une espèce de désamorçage de la
métaphysique [2] », ce roman apparaît comme un
saut dans la « littérature » dans la mesure où il
rejoint une angoisse humaine fondamentale et bien
familière : l'expérience du labyrinthe.

> *... Le labyrinthe est une souffrance première,
> une souffrance de l'enfance* [3].
> *Les sources de l'expérience labyrinthique sont...
> cachées, les émotions que cette expérience implique
> sont profondes, premières...*
> *Si nous étions indemnes de l'angoisse labyrin-
> thique, nous ne nous énerverions pas au coin d'une
> rue parce que nous ne retrouvons pas notre chemin* [4].

La plupart des textes qu'utilise Bachelard dans
son étude de l'expérience du labyrinthe sont d'ordre
psychologique. Cela veut-il dire que la littérature a
exploré les structures du labyrinthe du point de vue
psychologique presque exclusivement? Le roman de
Robbe-Grillet, par contre, s'impose d'abord comme
un labyrinthe de la conscience — par opposition

1. *Dans le labyrinthe*, p. 46.
2. « Entretien » (*L'Express*, 8 octobre 1959).
3. G. Bachelard, *La Terre et les rêveries du repos*, Paris, Librairie
José Corti, 1948, p. 217.
4. *Ibid.*, p. 211.

au labyrinthe psychologique de l'inconscient —,
comme une représentation d'un espace dans lequel
l'homme n'est même pas véritablement perdu
puisque cela stipulerait qu'il fut un temps et un
lieu où il n'était pas encore perdu et où il ne le sera
plus un jour. Le labyrinthe traditionnel a ceci de
particulier qu'on ne peut pas s'y retrouver sans
qu'on puisse dire qu'on s'y était d'abord perdu. Le
labyrinthe de Robbe-Grillet est ainsi un lieu où
l'on ne se trouve pas plutôt qu'un lieu où l'on ne se
retrouve pas. C'est pourquoi il fallait que le héros
de ce roman fût sans mémoire, qu'il eût tout oublié.

Dans son livre sur Hölderlin, Heidegger distingue
différentes qualités d'oubli : « Qu'est-ce que l'oubli?
Nous le connaissons le plus souvent sous la forme
du " n'y plus penser ", sous une forme donc qui
rappelle encore " penser à ". » Oublier peut signifier qu'une chose nous échappe, nous a échappé;
mais aussi que nous la laissons échapper et même
que nous la chassons de notre esprit. « Oublier, c'est
tantôt perdre, tantôt repousser, tantôt aussi l'un et
l'autre [1]... » L'oubli est donc une activité surprenante et ne coïncide pas toujours avec l'appauvris-
sement auquel on pense devant ce mot. Analysant
l'expression l' « oubli vaillant » de Hölderlin, Heidegger dit : « Le vaillant oubli est le courage qui
sait et qui consent à l'épreuve de l'étranger [2]... »
L'oubli qui sait, mais consent à l'épreuve de l'étranger est l'oubli que pratique Robbe-Grillet active-
ment, bien plus que ses personnages. L'oubli de
Robbe-Grillet est un oubli feint, un refus de savoir
et de reconnaître. Cet oubli feint correspond aussi
au désir, toujours implicite dans son roman, de
détruire, de « gommer » culture et civilisation. Cette

1. *Approche de Hölderlin*, Paris, Gallimard, 1962, p. 119.
2. *Ibid.*

amnésie volontaire sert à effacer les signes et les points de repère et à créer ainsi une image labyrinthique de la situation humaine. Pour le personnage, la perte des souvenirs est une perte de l'être :

> *En dépit de ces raisonnements, le soldat conserve l'esprit troublé par un tel défaut dans ses souvenirs* [1].

Ne se rappelant pas le nom de sa destination, le soldat n'a d'autres issues que fortuites, accidentelles, et toutes le mèneront à la mort :

> — *Où est-ce qu'on va, par là? demande-t-il...*
> — *Alors, dis-moi où je vais, par là*
> — *Je ne sais pas, dit l'enfant.*
> *Et il ramène les yeux vers ce soldat... qui ne sait pas lui-même où il va* [2].

L'oubli et l'uniformité topographique se recoupent; leur origine et leur effet sont de la même nature :

> *La voix était grave, et ne ressemblait pourtant pas à une voix d'homme... Une jeune femme à la voix très grave, cela se rencontre parfois; mais le souvenir est trop fugitif : il ne reste déjà plus qu'un timbre neutre, sans qualité, pouvant appartenir aussi bien à n'importe qui, faisant même douter qu'il s'agisse à coup sûr d'une voix humaine* [3].

Dans ce passage, le roman fond les trois thèmes du labyrinthe : la perte de l'être dans l'indifférenciation et l'incertitude.

Les relations de l'homme avec le monde s'atténuent, se dissolvent dans ces villes aux « hautes façades plates », aux « carrefours semblables », aux

1. *Dans le labyrinthe*, p. 191.
2. *Ibid.*, p. 35.
3. *Ibid.*, p. 53.

« portes sans paillasson ni carte de visite épinglée, absence de ces menus ustensiles déposés ici ou là pour quelques minutes qui trahissent en général la vie d'une maison, et murs totalement nus, à l'exception toutefois de l'affiche réglementaire imposée par la défense passive [1] ».

L'expérience du labyrinthe ou de la non-réalité s'aggrave quand on passe de l'indifférenciation topographique, de la dissolution des rapports entre l'homme et le monde où il habite, quand on passe de cette indifférenciation à l'interchangeabilité des êtres ou à la dissolution des rapports entre les êtres humains.

La première parole adressée par le soldat à l'enfant consiste à dire :

> " *Ton père...*"
> " *C'est pas mon père* ", dit l'enfant [2].

Quelques pages plus loin :

> " *Il sert à manger, ton père, aux clients?*
> — *C'est pas mon père* ", dit l'enfant [3].

La figure centrale du roman, le personnage absent, destinataire inutile de la vie du soldat, subit la dissolution suivante coïncidant avec la fin du roman :

> *Seul le père a été mis au courant, lorsqu'il a téléphoné à l'hôpital; or, du moment qu'il n'est pas le vrai père — ou pas légalement le père, ou d'une façon quelconque pas le père tout à fait — il n'est pas obligé d'être en rapport avec la jeune fille* [4]...

Le roman s'interrompra et l'on ne saura qui est

1. *Dans le labyrinthe*, p. 185.
2. *Ibid.*, p. 31.
3. *Ibid.*, p. 46.
4. *Ibid.*, p. 216.

le père ni qui est l'enfant, ni quel est le rapport
de l'enfant aux hommes qui l'entourent [1].

La dissolution de la réalité est un phénomène
moderne généralisé dans le roman occidental. Erich
Auerbach constate à la fin de son livre, *Mimesis*,
que certains écrivains du xxᵉ siècle « find a method
which dissolves reality into multiple and multivalent
reflections of consciousness [2] ». Dans son étude écrite
en 1955, Georges Lukacs constate cette même dissolution et de la personnalité et du réel chez les
écrivains modernes importants : Musil, Joyce, Faulkner, Kafka. Dans leurs romans, dit-il, « les traits
de la personnalité humaine se dissocient [3] ». L'une
des orientations majeures, continue-t-il, est la « dissolution plus ou moins complète du réel [4] ». Dans
L'Homme sans qualités, Musil ne traite aucun sujet
avec autant de persévérance que celui de la dissolution des qualités chez l'homme : « ... Ulrich
se réduisait à cette sorte de dissolution intérieure
qui est commune à tous les phénomènes contemporains [5]. » Ce processus de dissolution semble se
poursuivre. On a vu que ce qui, dans le roman de
Faulkner, avait fait impression sur Robbe-Grillet,
était la destruction des rapports. Le roman de
Beckett témoigne d'une dislocation analogue :

1. Même les personnages secondaires ne se connaissent pas, sont
incapables de se reconnaître : « Le soldat se demande si c'est bien là
le même personnage que celui rencontré chez la femme aux yeux
clairs, celui qui justement lui a signalé l'existence de cette pseudo-
caserne pour malades. Si ce n'est pas le même, pourquoi l'homme lui
adresse-t-il la parole d'un air de connaissance? Si c'est le même,
comment est-il venu jusqu'ici sur sa béquille, par les rues couvertes
de neige glacée? Et dans quel but? » (*Dans le labyrinthe*, p. 139).
2. *Mimesis*, New York, Doubleday Anchor Books, 1953, p. 487.
3. *La Signification présente du réalisme critique*, p. 41.
4. *Ibid.*, p. 43.
5. *L'Homme sans qualités*, Paris, éd. du Seuil, 1961, p. 77.

> *Je ne sais pas grand-chose, franchement. La mort de ma mère, par exemple. Était-elle déjà morte à mon arrivée? Ou n'est-elle morte que plus tard? Je veux dire morte à enterrer. Je ne sais pas. Peut-être ne l'a-t-on pas enterrée encore... Il ne me manque plus qu'un fils. J'en ai un quelque part peut-être. Mais je ne crois pas... Voilà que j'ai oublié son nom. Il me semble quelquefois que j'ai même connu mon fils, que je me suis occupé de lui. Puis je me dis que c'est impossible* [1].

L'enfant qui conduit le soldat, son paradoxal guide, cet enfant, malgré sa pèlerine noire et son béret, malgré toutes ces précisions, ne parvient pas à un visage unique :

> *Ce gamin-ci est celui du café, semble-t-il, qui n'est pas le même que l'autre, qui a conduit le soldat* [2]...

Les rapports humains, tels que les pose le roman de Robbe-Grillet, minent tout piège qui pourrait se dresser comme « vérité », comme réalité certaine.

---

1. *Molloy*, Paris, éd. de Minuit, 1951, p. 7-8.
2. *Dans le labyrinthe*, p. 143.

troisième partie

RÉALISME RELATIF :
LES MODALITÉS DU REGARD

> *La vision est déjà habitée par un sens qui lui donne une fonction dans le spectacle du monde comme dans notre existence.*
>
> Merleau-Ponty.

De l'œuvre de Robbe-Grillet, Lucien Goldmann affirme qu'elle est « une des plus représentatives de l'époque [1]... » Or, cette œuvre représentative de notre époque a choisi le *regard* comme mode d'être. Les modalités du regard seront ici divisées en trois parties : 1º le regard comme point de vue narratif; 2º le regard créant sa propre réalité; 3º le regard, acte de non-engagement.

Le regard comme point de vue narratif.

Le choix d'un point de vue est un choix fondamental qui détermine la nature du roman. Un phénomène important du roman moderne est que le romancier s'y considère comme un homme et non plus comme un esprit priviligié à qui il serait donné de parcourir l'espace sans égards à sa dépendance

---

1. « Les Deux Avant-gardes » (*Médiations*, hiver 1961-1962, p. 67).

temporelle, d'habiter à la fois la conscience d'une douzaine de personnages, c'est-à-dire se mettre simultanément à la place de plusieurs subjectivités. Dans son article intitulé : « Notes sur la localisation et les déplacements du point de vue dans la description romanesque », Robbe-Grillet déclare : « Le romancier perpétuellement omniscient et omniprésent est... récusé. Ce n'est plus Dieu qui décrit le monde, c'est l'homme, un homme [1]. » Par rapport au romancier classique, le romancier d'aujourd'hui se définit d'abord comme « un homme »; sa vision du monde est celle d'un homme particulier et non d'un homme universel. Les grands romans du XIXe siècle sont tous, plus ou moins, l'œuvre d'une imagination au pouvoir absolu. Chez l'écrivain moderne, l'imagination a ses limites, elle aussi. Elle n'est pas si elle n'est pas relative. Un roman n'est plus vraisemblable à moins d'être le roman d'une conscience particulière, limitée et située : « ... dans un vrai roman, pas plus que dans le monde d'Einstein, il n'y a de place pour un observateur privilégié [2]. »

C'est ainsi que les deux importants romans modernes français, *La Nausée* et *L'Étranger*, sont écrits à la première personne. Ce n'est pas par manque de recul romanesque ni par intention d'ordre confessionnel que ces romans sont racontés par quelqu'un qui dit « je ». Le choix du « je » est dû au réalisme narratif moderne de ces romans.

Il n'y a pas d'illustration plus dramatique de l'engagement fondamental que fait un auteur en choisissant son point de vue que *Le Bruit et la fureur*. On sait que la première partie de ce roman est racontée à travers la conscience d'un idiot. La por-

1. *La Revue des Lettres modernes*, nos 36-38, été 1958, p. 130.
2. Sartre, « M. François Mauriac et la liberté » (*Situations, I*, p. 56).

tée d'un pareil choix est incommensurable. Pourquoi Faulkner s'est-il placé dans la conscience de
Benjy pour communiquer avec le lecteur? Pourquoi
s'est-il restreint au regard d'un idiot pour regarder
le monde? Ce n'est pas le lieu pour y répondre. Il
est toutefois bien évident que cette partie du roman
est entièrement déterminée par ce choix initial de
Faulkner.

Le mode narratif du *Voyeur* est le moins révolutionnaire dans les romans de Robbe-Grillet. Raconté
à la troisième personne, le lecteur retrouve ainsi
l'impression d'être dans un roman. « Mathias pensait, il craignait, fut pris de panique » est le procédé
courant. Dans *La Jalousie*, par contre, la structure
traditionnelle est si radicalement détruite que le
dépaysement du lecteur est total. Les repères de la
forme familière étant nuls, le lecteur hésite à appeler roman une forme aussi inconnue. *La Jalousie*
n'a pas de véritable narrateur. D'abord parce que ce
récit n'est raconté ni à la troisième ni à la première
personne. L'extrême subjectivité du récit appellerait
le « je » narratif, ce qui pourtant n'est pas le cas
dans ce roman. Mais le roman ne se raconte pas
non plus à partir d'un « il ». C'est un roman qui
n'est raconté ni à la première ni à la troisième personne. C'est donc un roman où il n'y a pas de personne qui raconte... On comprend pourquoi tant de
lecteurs n'ont pas remarqué qu'en dehors de A... et
Franck, il y avait un troisième personnage dans le
roman. Le narrateur de ce récit est un homme qui,
narrant une expérience, ne dit pas « j'ai vu », ni
même, avec du recul romanesque, « il a vu ». Ce
qu'il dit se présente ainsi :

> De l'autre côté, l'œil, qui s'accoutume au noir,
> distingue maintenant une forme plus claire se déta-
> chant contre le mur de la maison : la chemise

> *blanche de Franck. Ses deux avant-bras reposent*
> *à plat sur les accoudoirs. Son buste est incliné en*
> *arrière, contre le dossier du fauteuil* [1].

A la place du « je » et du « il » traditionnels, nous avons donc un « regard narrateur ». Cet homme qui surveille sa femme est aussi un homme qui surveille son propre regard, qui regarde son regard : « l'œil qui s'accoutume au noir », dit-il. Ou encore :

> *...le regard qui, venant du fond de la chambre, passe*
> *par-dessus la balustrade, ne touche terre que beau-*
> *coup plus loin* [2]...

En décrivant la vision de Benjy, Faulkner se limitait également à une description phénoménologique de la conscience. Quand on lui enlève le coussin, Benjy ne voit que ce qui captive sa conscience : « Le coussin a disparu... Puis le coussin est revenu [3]... » L'œil du héros de *La Jalousie* ne voit pas autrement : « Sur le mur, du côté de l'office, la tête de Franck a disparu [4]. » Mais là où Benjy disait « je » : « Je pouvais entendre la pendule et je pouvais entendre Caddy debout derrière moi, et je pouvais entendre le toit [5] », le narrateur de *La Jalousie* demeure dépouillé de tout pôle d'identité pronominal.

La substitution du récit par une personne, par le récit à partir d'un regard a provoqué une double critique. Critique qui a attiré l'attention sur le caractère « déshumanisé » d'une part et, d'autre part, sur la vérité problématique que dévoile une présentation « du dehors ».

1. *La Jalousie*, p. 29.
2. *Ibid.*, p. 11.
3. *Le Bruit et la fureur*, Paris, Gallimard, 1949, p. 97-98.
4. *La Jalousie*, p. 23.
5. *Le Bruit et la fureur*, p. 89.

> La Jalousie, dit Colette Audry, *est un regard
> sans arrière-fond, à fleur de paupière, c'est le regard
> déshumanisé, désensibilisé, objectal en un mot,
> d'une simple lentille de verre, d'un pur objectif*[1].

Philippe Durand soulève la question de la vérité
du héros présenté du dehors : « ...est-ce que la peinture romanesque de l'homme par le dehors, en une
succession de plans visuels, peut suffire à produire
cette vérité du héros[2] ? ». Bernard Pingaud a également parlé de la jalousie telle qu'elle est décrite
par Robbe-Grillet comme « inhumaine ». Robbe-
Grillet, dit-il, « oblige la jalousie à rester regard[3] ».
Robbe-Grillet répond à ces observations quand il
dit :

> *Même si ce n'est pas un personnage, c'est en tout
> cas un œil d'homme. Ce roman contemporain, dont
> on répète volontiers qu'il veut exclure l'homme de
> l'univers, lui donne donc en réalité la première place,
> celle de l'observateur*[4].

L'adjectif « inhumain » ou « déshumanisé » constitue sans doute une critique. Inutile de feindre qu'on
ne sait pas ce que cela veut dire. Seulement, ne se
pourrait-il pas qu'on soit « inhumain » et homme
à la fois? Peut-on reprocher à Robbe-Grillet de
décrire des êtres déshumanisés? Et si, par hasard,
sa description était juste et fort précise, relevant
de ce réalisme qui par son aspect inhabituel, par

---

1. « La caméra d'Alain Robbe-Grillet » (*La Revue des Lettres
modernes*, nᵒˢ 36-38, été 1958, p. 267).

2. « Cinéma et roman » (*La Revue des Lettres modernes*, été 1958,
p. 59).

3. « Lecture de *La Jalousie* » (*Lettres nouvelles*, juin 1957, nᵒ 50,
p. 904).

4. « Notes sur la localisation et les déplacements du point de vue
dans la description romanesque », p. 130.

son caractère d'avant-garde, ne ressemble à rien
d'humain?

En ce qui concerne « la première place, celle de
l'observateur », que Robbe-Grillet assigne à ses personnages, on peut se demander en quoi un observateur réduit au pur regard, à n'être que ce qu'il
voit, possède-t-il une place privilégiée?

La critique de la présentation « du dehors » vise
un aspect essentiel de l'art du roman chez Robbe-
Grillet. Quand la phénoménologie a déclaré que
toute conscience et, par conséquent, toute image
est image de quelque chose, la description « du
dehors » était fondée. Mais s'agit-il véritablement
d'une représentation de l'homme en termes purement extérieurs? Dans *Le Voyeur*, par exemple, les
descriptions concernant les imaginations de Mathias
sont infiniment plus nombreuses que les descriptions
du monde extérieur effectif. Si l'on ne s'en rend pas
compte à première lecture c'est que, précisément,
Robbe-Grillet a tout prévu pour qu'il en soit ainsi.

Dans le roman de Robbe-Grillet, il n'y a pas
d'introspection qui se passe d'images concrètes, il
n'y a que la matérialité de la conscience. Souvenir,
image imaginée, perception, rêve, tout y est forme
visible. Le personnage de *La Jalousie* ne se répète
pas « je suis jaloux »; ce qu'il se répète ce sont les
images formées par la présence de sa femme à côté
d'un homme. Il est tout entier jalousie parce que
sa conscience n'est rien d'autre qu'un cycle toujours
recommencé d'une même série d'images. Pourrait-on
jamais dire que les deux fauteuils de A... et de
Franck, trop près l'un de l'autre, sont des fauteuils
vus « du dehors »? Et en saurions-nous plus sur le
héros si l'auteur nous disait, par exemple, « le mari
était désespéré, hanté nuit et jour par le sentiment
intérieur que sa femme le trompait »? « Le senti-

ment intérieur, qu'est-ce? Je n'en ai pas », pourrait
répondre un personnage moderne. « Ce que je vois,
jour et nuit, c'est le regard que ma femme a échangé
avec cet homme. » La description dans le roman
se fera donc d'un point d'observation concret et
localisé et non plus d'une idée *sur* la jalousie et
des réflexions analytiques *sur* la conscience de la
conscience d'un personnage.

Avec le *Labyrinthe*, Robbe-Grillet revient à la
forme narrative plus familière, à la troisième personne. C'est au moins l'impression qu'on a quand
on a refermé le livre. En vérité, il n'en est point
ainsi. La première phrase du roman commence par :
« Je suis seul ici », et le récit semble se faire à la
première personne pendant un bon moment quand,
insensiblement, et sans qu'on s'en soit aperçu, on
a glissé dans une narration à la troisième personne.
Quand on s'est assuré que tout le roman se dérou-
lera à la troisième personne, voilà que quelques
instants avant la fin réapparaît le « je » : « A ma
dernière visite, la troisième piqûre a été inutile. Le
soldat blessé était mort [1]. » Le narrateur, à cet
instant, semble être le médecin. Commencé par le
pronom « je », le roman se terminera par le pronom « moi » : « et toute la ville derrière moi ».

Un « je » semble donc encadrer le « il » du roman.
Le médecin serait-il l'auteur qui raconte? Dans ce
cas il n'y aurait pas d'identité entre le personnage
principal et le narrateur du roman, comme il y en
a dans *Le Voyeur* et *La Jalousie*. Cette interprétation ferait retomber le roman dans le genre où l'auteur prétend être tombé sur un manuscrit, manuscrit
trop précieux pour ne pas être livré au public, etc.
Mais le « je » sporadique du *Labyrinthe* est trop

---

1. *Dans le labyrinthe*, p. 211.

incorporé dans la structure du roman pour n'être qu'un jeu, bien qu'il soit cela aussi. Il est mystificateur dans la mesure où il s'insère dans le dessein général de Robbe-Grillet : briser la solide structure du roman traditionnel, empêcher que le lecteur se retrouve dans la sécurité du monde romanesque.

On aurait toutefois tort de croire que l'esprit du lecteur est ainsi troublé gratuitement pour le plaisir de troubler. Le lecteur se trouve devant des problèmes romanesques parce que l'auteur s'y est trouvé d'abord. Le problème du point de vue a évidemment beaucoup préoccupé l'auteur du *Labyrinthe*. Celui qui a commencé le roman par : « je suis seul ici », devient le médecin qui dira « à ma dernière visite ». Mais le roman se termine par la voix qui l'avait commencé : « et toute la ville derrière moi ». Le soldat décrit à la troisième personne tout au long du roman se trouve dans la même chambre que le narrateur, chambre où se trouve la commode et, sur la commode, « la boîte enveloppée de papier brun ». Qui donc parle dans ce roman? Le point de vue y est agencé de telle façon qu'il détruit toute identité au fur et à mesure qu'elle se crée. L'expérience du labyrinthe est en partie provoquée par l'impossibilité du lecteur à établir des identités. La voix qui parle annule l'identité de la voix qui vient de parler. Le point de vue de ce roman est particulièrement intéressant parce qu'il pose le problème du rapport entre l'écrivain et le roman. Le premier paragraphe établit une distinction très marquée, volontairement soulignée, entre le dehors, le monde extérieur et l'enclos où se trouve celui qui dit « je » et qui, de toute évidence, va être le narrateur du roman : « Je suis seul ici, maintenant, bien à l'abri. Dehors il pleut, dehors on marche sous la pluie... Dehors il fait froid... Dehors il y a du soleil [1]... » etc. S'agit-il de l'écrivain « à l'abri » des agitations du monde, retiré de la vie pour faire son œuvre? On le dirait. Mais voilà que dans le paragraphe suivant, toute cette opposition s'effondre et le paragraphe qui l'a précédé sombre dans l'ironie :

> *Ici le soleil n'entre pas, ni le vent, ni la pluie, ni la poussière. La fine poussière qui ternit le brillant des surfaces horizontales, le bois verni de la table, le plancher ciré* [2]...

La poussière du dehors est devenue la poussière du dedans et, à partir de ce moment, toutes les distinctions se brouillent et s'effacent. Celui qui parle se perdra dans l'anonymat. Il y a donc expérience de « labyrinthe » en ce qui concerne le point de vue narratif. Le « je » narrateur devient un « on » narrateur, une voix anonyme.

Le regard créant sa propre réalité.

La décision de charger le regard de la création du réel est un choix radical pour le roman de Robbe-Grillet. Aucun autre moyen ne se prêtait mieux à son double dessein : mettre fin à la psychologie d'introspection et constituer une réalité selon les images immédiates de la conscience. On sait combien Robbe-Grillet insiste sur les propriétés « laveuses » du regard. Que s'agit-il donc de laver? En remplaçant ce terme métaphorique par le terme phénoménologique de « mettre entre parenthèses » le monde familier, de feindre qu'on ne le connaît pas, on mesure mieux ce que le regard a pour fonction de

---

1. *Dans le labyrinthe*, p. 9.
2. *Ibid.*

discréditer. Cette feinte a pour but d'oublier les idées et les sentiments reçus pour parvenir à des images immédiates. Par image immédiate on entend une image libre de toutes préconceptions. Une image ainsi déliée peut et sera la plupart du temps extrêmement précise et matérielle, minutieuse et réaliste, telle l'image cinématographique dont la caractéristique est qu'elle ne peut pas comporter d'adjectif abstrait. Une image cinématographique ne pourrait pas rendre ce qui n'est pas forme concrète. Certaines phrases de *La Nausée*, par exemple, lui restent interdites : « Mais j'ai peur de ce qui va naître, s'emparer de moi — et m'entraîner où ? Va-t-il falloir encore que je m'en aille, que je laisse tout en plan... Me réveillerai-je dans quelques mois, dans quelques années, éreinté, déçu, au milieu de nouvelles ruines ? Je voudrais voir clair en moi avant qu'il ne soit trop tard [1] ». Conscience de la conscience, analyse des états de la conscience, tels étaient les aspects du personnage romanesque à la vie intérieure riche et profonde. Les grands personnages du roman occidental sont tous des héros de la conscience. Ivan Karamazov, le narrateur du roman proustien, Bloom, Roquentin, certains personnages de Malraux, ils sont tous tendus vers de plus en plus de conscience. Le personnage de Kafka a rompu avec cette tradition dans la mesure où, chez lui, la conscience est arrachée à elle-même et toujours ancrée dans le monde extérieur. Chez Kafka, un fait de la conscience est une forme concrète de la conscience. C'est ainsi également que se définit la description dans le roman de Robbe-Grillet :

> *Sur la pellicule les choses n'existent que comme phénomène, elles ont obligatoirement une forme, et*

1. *La Nausée*, p. 17.

> *celle-ci se présente soit d'un côté soit de l'autre,*
> *jamais de plusieurs côtés en même temps; quant à*
> *leur intérieur, il n'a de réalité que s'il parvient à se*
> *montrer au-dehors* [1].

Le roman de Robbe-Grillet est une mise en forme
d'une critique, aujourd'hui générale, de la psychologie d'introspection : « Les psychologues d'aujour-
d'hui font remarquer que l'introspection, en réalité,
ne donne presque rien. Si j'essaie d'étudier l'amour
ou la haine par la pure observation intérieure, je ne
trouve que peu de chose à décrire [2]... » Ayant supprimé l'introspection, Robbe-Grillet procède à l'abo-
lissement de l'enchaînement causal, de la continuité
psychologique du roman traditionnel. Quand on
tient à l'esprit les grands romans qui nous sont
familiers, on mesure l'étendue des ruines impliquée
dans le roman de Robbe-Grillet. Gide, par exemple,
se trouvait dans la nécessité d'expliquer, de motiver,
de rendre claire et logique l'absence de mobile de
l'acte gratuit de Lafcadio. Tout au long de *La
Condition humaine* s'étend un discours métaphysique dont la fonction est d'humaniser, de jeter une
lumière rationnelle sur l'acte terroriste de Tchen. Que
deviendrait cet acte sans la motivation « humaine »
qui le prépare et l'explique? (Bien sûr, le roman de
Robbe-Grillet ne connaît pas d'actions héroïques.
Ses personnages sont spectateurs plutôt qu'acteurs.
Mais son intérêt est dans le fait que c'est un roman
qui ne compte pas sur la magie romanesque des
actions spectaculaires.) C'est pourtant vers des phénomènes discontinus que tend le nouveau roman.
L'analyse qu'a faite Sartre de l'art de Proust

1. « Notes sur la localisation et les déplacements du point de vue
dans la description romanesque » (*Revue des Lettres modernes*, n°s 36-
38, été 1958).
2. Merleau-Ponty, *Sens et non-sens*, p. 107.

annonce de loin le morcellement, l'éclatement de
l'être qui se fait dans le roman de Robbe-Grillet, être
qui échappe de toutes parts à une cohérence causale.
Avec sa précision coutumière, Sartre parle de « relâ-
chement des liens d'être [1] ». Cette formule résume
bien l'ontologie instable et indéterminée du personnage de Robbe-Grillet. Sartre précise :

> *Il faut renoncer à réduire l'irrationnel de la cau-
> salité psychique... Le psychologue doit décrire ces
> liens irrationnels et les prendre comme une donnée
> première du monde psychique [2].*

Dans son introduction à *L'Année dernière à
Marienbad*, Robbe-Grillet parle de la nature des
images dans son « ciné-roman », et ce qu'il en dit
s'applique aux descriptions dans tous ses romans.
Ce qui est frappant c'est que ces remarques sont très
logiques et que si on se met à lire ses romans, le procédé dont il parle si clairement devient souvent
inintelligible au public. Le lecteur, il paraît, est en
effet condamné à être toujours en retard sur l'auteur.

> *Que sont, en somme, toutes ces images? Ce sont
> des imaginations; une imagination, si elle est assez
> vive, est toujours au présent. Les souvenirs que l'on
> « revoit », les régions lointaines, les rencontres à
> venir, ou même les épisodes passés que chacun
> arrange dans sa tête en en modifiant le cours tout à
> loisir, il y a là comme un film intérieur qui se déroule
> continuellement en nous-même, dès que nous ces-
> sons de prêter attention à ce qui se passe autour de
> nous. Mais, à d'autres moments, nous enregistrons
> au contraire, par tous nos sens, ce monde extérieur
> qui se trouve bel et bien sous nos yeux. Ainsi le
> film total de notre esprit admet à la fois tour à tour*

1. *L'Être et le néant*, p. 217.
2. *Ibid.*

> *et au même titre les fragments réels proposés à*
> *l'instant par la vue et l'ouïe, et des fragments passés,*
> *ou lointains, ou futurs, ou totalement fantasmago-*
> *riques* [1].

Ces imaginations sont, dans le roman de Robbe-
Grillet, d'ordre visuel. L'image visuelle est si naturelle chez Robbe-Grillet que même une conversation
entre deux personnages se transforme aussitôt en ce
qu'il appelle un *échange de vues* et, ici, l'expression
reprend tout son sens littéral. Au début du *Voyeur*,
les imaginations de Mathias sont encore soumises à
un souci cartésien de chronologie. Ainsi, loin de faire
jaillir l'image du pur présent, comme il le fera plus
tard, loin de la libérer des explications traditionnelles, Robbe-Grillet lui donne un départ tout classique, c'est-à-dire qu'il commence par un commencement. C'est pourquoi on trouve à la première page
du *Voyeur* cette phrase :

> *Lorsqu'il était tout enfant — vingt-cinq ou trente*
> *années peut-être auparavant — il possédait une*
> *grande boîte en carton, une ancienne boîte à chaus-*
> *sures, où il collectionnait des morceaux de ficelle* [2].

La justification des images se poursuit pendant
quelques pages. Quand Mathias a aperçu une cor-
delette par terre, l'auteur explique ainsi le départ
des images :

> *Un instant il lui sembla la reconnaître, comme*
> *un objet qu'il aurait lui-même perdu très longtemps*
> *auparavant. Une cordelette toute semblable avait dû*
> *déjà occuper une place importante dans ses pensées.*
> *Se trouvait-elle avec les autres dans la boîte à chaus-*

---

1. *L'Année dernière à Marienbad*, éd. de Minuit, 1961, p. 16.
2. *Le Voyeur*, p. 9-10.

> *sures? Le souvenir obliqua tout de suite vers la*
> *lumière sans horizon d'un paysage de pluie* [1]...

La présence du mot « souvenir » est un scandale
dans un texte robbegrilletien. Il ne fait rien moins
que briser la magie des textes ultérieurs de Robbe-
Grillet qui, précisément, représentent une vision
dont la distinction entre passé, présent et avenir est
rigoureusement bannie. Dans le passage qu'on vient
de lire, il n'y a qu'un élément qui atténue la facticité de pareille distinction : « il lui sembla, il aurait,
avait dû... », par ces mots de l'improbable, l'auteur
tempère l'artifice de sa propre logique.

Le Voyeur débute par l'arrivée à destination du
bateau, mais le héros ne quitte effectivement le
bateau qu'à peu près à la quarante-deuxième page.
Pourtant, entre la première page et la quarante-
deuxième où il est dit « Mathias s'écarta de l'eau,
en direction du parapet », entre l'arrivée et le débar-
quement effectif, Mathias a frappé à de nombreuses
portes, est entré dans la cuisine de plusieurs familles,
a ouvert, étalé et refermé maintes fois la valise
contenant les montres qu'il cherche à vendre dans
cette île. Après l'avoir suivi attentivement dans ses
rondes de voyageur de commerce, le lecteur bute
contre une phrase déclarant que Mathias est justement en train de quitter le bateau. Et le lecteur de
se reprocher son peu d'attention : il s'agissait de
flash back ou d'anticipation qui lui ont échappé, etc.
Il revient sur ses pas pour retrouver ces indications
qui annoncent qu'on passe à un plan d'existence
différent. Au cinéma, par exemple, des images floues
signalent qu'on passe à l'irréel. Dans le roman, le
style de ces précisions varie. Voulant évoquer un
rêve d'anticipation, Stendhal dirait : « Son imagi-

---

1. *Le Voyeur*, p. 10-11.

nation était tout entière à se figurer [1]... » Chez Dostoïevski, l'imaginaire est souvent annoncé par
« l'idée lui vint à l'esprit ». Chez Proust, les imaginations sont présentées comme des « croyances » :
« Cette croyance survivait pendant quelques secondes
à mon réveil [2]. » Valéry distingue l'image-souvenir
en disant : « Je le *revois* debout avec la colonne d'or
de l'Opéra [3]... » « Revoir » signale clairement qu'il
s'agit du passé. Une seule phrase de Camus contient
plusieurs distinctions d'ordre rationnel entre les
différents modes du temps, entre le réel et l'imaginaire : « Je me mettais quelquefois *à penser* à ma
chambre et, en *imagination*, je partais d'un coin
pour y revenir en *dénombrant mentalement* tout ce
qui se trouvait sur mon chemin [4]. » C'est en vain
qu'on cherchera dans le roman de Robbe-Grillet des
distinctions de tel genre :

> *La dernière maison à la sortie du bourg, sur la
> route du phare, est une maison ordinaire : un simple
> rez-de-chaussée, avec seulement deux petites fenêtres
> carrées encadrant une porte basse. Mathias, en pas-
> sant, frappe au carreau de la première fenêtre et,
> sans s'arrêter, continue jusqu'à la porte. Juste à la
> seconde où il atteint celle-ci, il la voit s'ouvrir devant
> lui; il n'a même pas besoin de ralentir pour péné-
> trer dans le corridor, puis, après un quart de tour à
> droite, dans la cuisine où il pose aussitôt sa mal-
> lette à plat sur la grande table. D'un geste prompt,
> il a fait jouer la fermeture; le couvercle bascule,
> comme mû par un ressort. Sur le dessus se trouvent
> les articles les plus chers; il saisit le premier carton
> dans la main gauche, tandis que de la droite il sou-*

1. *Le Rouge et le noir*, Paris, Classiques Garnier, 1950, p. 20.
2. *A la recherche du temps perdu*, I, 3.
3. *Monsieur Teste*, Paris, Gallimard, 1946, p. 24 (souligné par
nous).
4. *L'Étranger*, Paris, Gallimard, 1957, p. 116 (souligné par nous).

> *lève le papier protecteur et désigne du doigt les trois*
> *belles montres pour dame, à quatre cent vingt-cinq*
> *couronnes. La maîtresse de maison est debout près*
> *de lui, entourée de ses deux filles aînées — une de*
> *chaque côté (un peu moins grandes que leur mère) —*
> *immobiles et attentives toutes les trois* [1].

Qui dirait que ce n'est pas une scène réaliste, objectivement et minutieusement décrite? La netteté des contours, la précision des détails, la lumière claire, tout donne l'impression d'un monde solide et bien assis. Or, cette description n'est qu'une parmi tant d'autres qui devancent Mathias sur l'île : Mathias a imaginé tout cela, l'a vu bien avant de débarquer.

La grande nouveauté dans cette description du rêvé, de l'imaginaire, c'est sa tonalité positive et objective. Dans la littérature traditionnelle, à l'exception de certaines tentatives surréalistes [2], l'irréel

---

1. *Le Voyeur*, p. 35-36.
2. André Breton avait essayé d'abolir les distinctions logiques : « Je crois à la résolution future de ces deux états, en apparence si contradictoires, que sont le rêve et la réalité, en une sorte de réalité absolue... » (*Manifestes du surréalisme*, Paris, Gallimard, 1963, pp. 23-24). Ce sont de tels textes, sans doute, qui ont fait dire à certains critiques qu'il y a des liens importants entre les surréalistes et Robbe-Grillet. Robbe-Grillet lui-même a, d'ailleurs, fait remarquer que les surréalistes mêlaient déjà les différents plans de la conscience. Il y a, toutefois, une différence profonde entre le dessein des surréalistes et celui de Robbe-Grillet. L'esprit surréaliste est vitaliste, le roman de Robbe-Grillet cherche, au contraire, à épurer la conscience, à la priver d'épaisseur. Si André Breton avait déclaré la guerre aux procédés logiques dans la littérature, c'était pour mieux « capter » les richesses de l'esprit : « Si les profondeurs de notre esprit recèlent d'étranges forces... il y a tout intérêt à les capter... » (*Manifestes du surréalisme*, p. 19). Chez Robbe-Grillet, la personnalité humaine est discontinue, fragmentée, incapable d'être, chez André Breton, elle est continuité absolue : « la ponctuation s'oppose sans doute à la continuité absolue de la coulée qui nous occupe... Fiez-vous au caractère inépuisable du murmure » (*Manifestes du surréalisme*, p. 43).

était soigneusement délimité, et le rêve, l'imaginaire étaient toujours donnés comme tels. La représentation classique de la réalité ne permettait pas la non-distinction de ces deux niveaux de la réalité. La distance entre la réalité et le rêve a été toujours maintenue (et souvent douloureusement éprouvée) dans la littérature française. Qu'il s'agisse de poètes symbolistes ou de Proust, la représentation du monde impliquait toujours une telle distinction. Le roman de Robbe-Grillet refuse ces distinctions. Dans le *Labyrinthe*, ce refus est même érigé en système. On a vu, ci-dessus, comment la distinction entre le « je » et le « on » anonyme s'est effacée, comment la séparation entre le monde extérieur et le monde intérieur a disparu au profit, bien sûr, du monde extérieur visible. Voici un exemple où différents niveaux d'existence sont brouillés ou plutôt cessent de se différencier. Il s'agit du tableau dans le roman :

> *C'est l'enfant, assis par terre au premier plan, sur le plancher à chevrons semblable à celui de la chambre elle-même, continuant pour ainsi dire celui-ci après une courte séparation constituée par la bande verticale de papier rayé* [1]...

Si l'on additionnait les différents plans de l'existence qui ont été, dans ce roman, précipités dans l'indifférenciation, on obtiendrait l'image du labyrinthe. Le plan purement affectif apparaît plus réaliste comme description, moins allégorique que l'ordre métaphysique. La jeune femme du *Labyrinthe* vient de quitter le soldat dans sa chambre :

> « *Elle est... bien longue à revenir*, se dit-il, *et c'est le gamin qui est maintenant assis à sa place...* »

. . . .

---

1. *Dans le labyrinthe*, p. 204.

« *Tu vas mourir ici?* » *dit l'enfant.*

Le soldat ne connaît pas, non plus, la réponse à cette question-là... mais il n'est pas encore parvenu à formuler ses inquiétudes que déjà le gamin a fait demi-tour et s'éloigne à toutes jambes le long de la rue rectiligne, sans même prendre le temps d'une virevolte autour des réverbères en fonte, qu'il dépasse, l'un après l'autre, sans s'arrêter. Seules bientôt demeurent, à la surface unie de la neige fraîche, ses empreintes, au dessin reconnaissable bien que déformé par la course, puis se brouillant de plus en plus à mesure que celle-ci s'est accélérée, devenant à la fin tout à fait douteuses, impossibles à suivre parmi les autres traces.

La jeune femme, elle n'a pas bougé de sa chaise[1]*!*

La jeune femme n'avait pas quitté sa chaise et toutes ces scènes ont eu lieu dans le présent, devant le regard du soldat. Vouloir distinguer ici le réel de l'imaginaire serait avancer à contre-courant du roman. La jeune femme n'a pas bougé, elle a simplement disparu du champ mental de la vision, et les images de l'enfant sont devenues des présences réelles. La beauté de cette composition ne réside pas seulement dans cette présentation sans scrupules de l'imaginaire comme s'il relevait de l'observation effective, mais également dans l'extrême cohérence qui informe ces images. Le soldat voulait savoir s'il neigeait toujours dehors. Comme il n'y avait pas de fenêtres, la femme devait sortir pour s'en assurer. Mais s'avancer dans cet immeuble à structure labyrinthique, c'est s'y perdre. Dès que le sentiment d'être perdu a été éveillé, l'image de l'enfant-guide, mais d'un guide qui s'éloigne, qu'on perd, cette image-là, motif du roman, est revenue.

L'une des conséquences importantes de ce roman,

1. *Dans le labyrinthe*, p. 196-198.

qui refuse de tirer des lignes de démarcation entre les différents plans d'existence, est que tous ces plans d'existence se mettent à vaciller, que la totalité est ébranlée de telle manière que rien n'est plus solide, tout devient douteux, irréel. Olivier de Magny a fait remarquer avec beaucoup de justesse que « le paradoxe de ce réalisme consiste à nous renvoyer à notre irréalité [1] ».

Cette non-distinction entre les images imaginées et les formes perçues dans le monde extérieur ne veut nullement dire confusion des deux modes d'être. Robbe-Grillet ne vise pas à confondre les phantasmes de la conscience et le monde extérieur. Il a critiqué avec passion la communion spirituelle qu'instituait l'homme entre l'univers et lui-même. Les pactes métaphysiques ainsi conclus demeuraient unilatéraux. Ce vers quoi tend son roman, c'est de conférer un statut de plein droit à la réalité créée par la conscience, par la vision d'un homme. Mais la vision d'un homme particulier sera relative à sa situation, à ses obsessions *à lui*. Son regard pourra imaginer — et le regard chez Robbe-Grillet est toujours imagination — les choses comme il le voudra; les choses elles-mêmes resteront inchangées, neutres à l'égard de l'homme, sans liens avec lui. Il s'agit donc d'une subjectivité qui ne s'ignore pas. Et là est le caractère nouveau de cette subjectivité. C'est une subjectivité qui sait que le monde extérieur puise en elle son sens, mais elle reconnaît aussitôt que ce sens n'a de valeur que pour elle, et que ce n'est donc pas une valeur universelle. Elle convient que les métamorphoses qu'elle fait subir au monde sont des phénomènes à elle, et que le monde demeure intact, inaltéré, sans complicité. Cette connaissance

1. « Panorama d'une nouvelle littérature romanesque » (*Esprit*, juillet-août, p. 17).

et cette acceptation de la nature subjective de la conscience humaine fait que le roman de Robbe-Grillet devient un roman relatif et non plus un roman subjectif.

La nature relative du roman impose des limites à la conscience individuelle, lui rappelle qu'elle crée sa propre vision du monde, mais que le monde n'est pas pour autant le reflet de cette vision. Cette limite et cette distinction reconnues, une grande liberté peut être accordée aux images et à la composition du roman. La composition du paragraphe, qui est une invention importante dans l'art de Robbe-Grillet, en est une des conséquences. Elle apparaît comme parfaitement naturelle et logique quand on s'y habitue un peu :

> *En quelques pas, il fut hors de péril. Ayant achevé de gravir le plan incliné, il continua son chemin le long de la chaussée, sur le haut de la digue, qui menait tout droit vers le quai. Mais la foule des voyageurs s'écoulait avec beaucoup de lenteur, au milieu des filets et des pièces, et Mathias ne pouvait pas marcher aussi vite qu'il le désirait. Bousculer ses voisins n'avançait à rien, vu l'exiguïté et la complication du passage. Il n'avait qu'à se laisser porter. Néanmoins il se sentait gagné par une légère impatience. On tardait trop à lui ouvrir. Levant cette fois la main à hauteur de son visage, il frappa de nouveau — entre les deux yeux dessinés sur le bois. La porte, très épaisse sans doute, rendit un son mat qui dut à peine se remarquer de l'intérieur. Il allait recommencer en s'aidant de sa grosse bague, quand il entendit du bruit dans le vestibule [1].*

L'écriture traditionnelle aurait coupé le paragraphe après la phrase : « Néanmoins il se sen-

---

1. *Le Voyeur*, p. 37-38.

tait... » Elle y aurait pratiqué une coupure très
nette pour signifier que « là » s'arrête la réalité.
Avant d'écrire : « On tardait trop à lui ouvrir... »,
l'écrivain d'hier se serait assuré que le paragraphe
suivant est clairement perçu, en ménageant la tran-
sition du monde réel au monde imaginaire par une
conjonction explicative telle que : « l'imagination
de Mathias se figurait déjà les ventes idéales qu'il
allait faire ». Or, ce que réussit Robbe-Grillet, c'est
de mettre, dans un même paragraphe, ce qui appartient ensemble et ce que seul l'ordre intellectuel avait
auparavant séparé. Une telle composition du paragraphe est logique puisque les images se déroulent
dans la conscience de Mathias *pendant* qu'il marche.
Ainsi, la digue et l'image de la porte sont rigoureusement parallèles dans le temps et dans l'espace.
La notion de parallèles nous amène à la considération d'un aspect important dans le roman de
Robbe-Grillet : au procédé de l'altération phénoménologique.

Après avoir imaginé une douzaine de raisons qui
pourraient expliquer le retard de A..., le héros de
La Jalousie enregistre le bruit d'un camion. Ce
bruit devient le point de départ d'un cycle d'images
qui se développera pendant une douzaine de pages.
Le bruit d'un camion annonce au mari que les trans-
porteurs de bananes reviennent du port où ils ont
déposé leurs régimes à l'entrée du wharf, « le long
duquel le " cap Saint-Jean " s'est amarré ».

> *C'est ce motif qui figure sur le calendrier des
> postes, au mur de la chambre. Le navire blanc, tout
> neuf, est à quai.*
>
> . . . .
>
> *...un personnage vêtu à l'européenne regarde... une
> sorte d'épave dont la masse imprécise flotte à quelques
> mètres de lui... L'épave, à demi soulevée par le*

flot, semble être un vieux vêtement, ou un sac vide.

. . . .

La zone où se dressent la table et les chaises est recouverte d'une natte en fibre; l'ombre de leurs pieds y tourne rapidement, dans le sens inverse des aiguilles d'une montre.

. . . .

La porte de l'office est fermée. Entre elle et l'ouverture béante du couloir, il y a le mille-pattes. Il est gigantesque.

. . . .

...la bestiole choit sur le carrelage, se tordant à demi et crispant par degrés ses longues pattes, cependant que les mâchoires s'ouvrent et se ferment à toute vitesse autour de la bouche, à vide, dans un tremblement réflexe... Il est possible, en approchant l'oreille, de percevoir le grésillement léger qu'elles produisent.

Le bruit est celui du peigne dans la longue chevelure. Les dents d'écaille passent et repassent du haut en bas de l'épaisse masse noire aux reflets roux... faisant crépiter les cheveux souples, fraîchement lavés, durant toute la descente de la main fine.

. . . .

... L'animal s'est arrêté au beau milieu du mur, juste à la hauteur du regard...

Franck, sans dire un mot, se relève, prend sa serviette; il la roule en bouchon, tout en s'approchant à pas feutrés, écrase la bête contre le mur...

Ensuite il revient vers le lit et remet au passage la serviette de toilette sur sa tige métallique, près du lavabo.

La main aux phalanges effilées s'est crispée sur le drap blanc. Les cinq doigts écartés se sont refermés sur eux-mêmes, en appuyant avec tant de force qu'ils ont entraîné la toile avec eux : celle-ci demeure plissée de cinq faisceaux de sillons convergents... Mais la moustiquaire retombe, tout autour du lit, interposant le voile opaque de ses mailles innombrables...

Franck... n'a pas vu, dans la nuit, le trou qui

> *coupe la moitié de la piste. La voiture fait un saut,*
> *une embardée...*
>
> . . . .
>
> *Aussitôt des flammes jaillissent. Toute la brousse*
> *en est illuminée, dans le crépitement de l'incendie*
> *qui se propage. C'est le bruit que fait le mille-pattes,*
> *de nouveau immobile sur le mur, en plein milieu*
> *du panneau.*
> *À le mieux écouter, ce bruit tient du souffle autant*
> *que du crépitement* [1]...

A noter, d'abord, que toutes ces descriptions sont
écrites au présent. Les images qu'elles évoquent
appartiennent pourtant à des temps multiples :
passé, présent, anticipation, rêve, tout est emmêlé
dans cette conscience affolée. Ce temps grammatical
du présent choisi par Robbe-Grillet, et auquel il se
tient rigoureusement, est celui qui convient le mieux
à la description de l'émotivité pure. « Une imagination, si elle est assez vive, est toujours au présent [2]. »

Ce cycle d'images se déroule à travers douze pages;
cet extrait n'en a retenu que les repères suffisants
pour le maintien du cycle. Commencé par un bruit,
c'est également par un bruit qu'il se termine. L'idée
du cycle est suggérée par le texte même : le terme
apparaît dans le paragraphe même qui termine la
citation. Le centre de ce cycle est à peu près au
milieu du texte où il est dit que le mille-pattes se
trouve à la hauteur du regard, du regard du mari.
D'une image à l'autre on glisse, non pas arbitraire-
ment, bien que les altérations ne soient ni raison-
nées ni expliquées, mais selon un principe réaliste :
toute image s'y métamorphose en une autre image
selon un ordre affectif cohérent.

Toutefois, un lecteur qui n'aurait pas lu tout le

1. *La Jalousie*, p. 155-167.
2. *L'Année dernière à Marienbad*, p. 16.

roman ne comprendrait pas cette série d'images
parce que, en elles-mêmes, elles ne renvoient à rien
d'extérieur au roman, à aucune idée déjà faite. Il
n'y a dans ce texte aucun mot qui *signifie* obsession,
soupçon, crainte, tourment, jalousie, etc. N'y trouvant aucun signe qui renseigne sténographiquement
sur l'état de ce personnage qui ne peut pas cesser
de regarder et de voir, le lecteur est bel et bien
obligé de lire tout le roman, de le relire au besoin,
de se familiariser avec chacune des images. Dès qu'il
s'est ainsi familiarisé avec chaque élément de la
composition, une chose curieuse arrive : il n'y a plus
de mot, il n'y a plus de syllabe dans ce roman qui
ne se mette à signifier. Pendant un récent débat
à Paris [1], Bernard Pingaud a déclaré que, dans le
roman de Robbe-Grillet, dont toutes les significations sont rigoureusement chassées, tout se met à
signifier, que le roman dépouillé de significations
finit par être envahi de sens. Cela est exact.

Ainsi celui qui a enregistré, pareil au regard du
mari, chacune des scènes du roman, sait, et ne sait
que trop, ce que représentent les imaginations du
héros de *La Jalousie*. Le bruit du camion ayant
rappelé que le bateau est à proximité, le regard du
mari se précipite sur la photographie du bateau sur
le calendrier. Un homme observe un objet sur l'eau.
Vêtu à l'européenne, ce ne peut être, dans ce pays
africain, que Franck : où est alors A...? Partie?
Noyée? Hypothèses...

Le regard continue à pivoter. Il rencontre des
chaises. C'en est assez : ces chaises sont *les* fauteuils
placés trop souvent et trop près l'un de l'autre. Ce
n'est donc pas par hasard que c'est à ce moment-là
qu'apparaît non pas *un* mille-pattes, mais *le* mille-

---

1. « Robbe-Grillet : objectivité ou psychopathologie », débat à
la Maison des Centraux, Paris, 19 février 1963.

pattes et, cette fois-ci, il est gigantesque et pour
cause... Le mille-pattes est l'image objectivée du
drame. Le bruit des mâchoires affolées du mille-
pattes amène la vision de la chevelure de A... cré-
pitant sous le peigne. Cette fois-ci, il est sûr que
c'est « le » et non pas « un » mille-pattes puisque
le nom de Franck apparaît finalement. Franck ne
revient pas à la table dont il s'était levé au cours
du repas; il revient vers un lit; la serviette de table
a pour parallèle la serviette de toilette. La nappe
blanche de la table, sur laquelle était posée la main
de A... au moment où elle avait aperçu la scutigère,
se métamorphose en un drap blanc. A ce moment-là,
la crainte que A... soit partie ou morte devient
désir qu'elle meure, et la voiture n'est plus que
flammes et destruction.

Si l'image est assez vive, elle est toujours au présent... Ni A..., ni Franck, ni le mille-pattes ne se
trouvaient là effectivement. Mais jamais ces trois
figures n'ont formé de réalité aussi vive et aussi
lancinante qu'en ce moment de leur absence. Ainsi,
rien n'a eu lieu, rien n'a été changé à la réalité.
Le récit n'est que la vision de cet autre « voyeur »
qu'est le héros de *La Jalousie.*

Le regard, acte de non-engagement.

« ...toute l'avant-garde... est, par essence même,
allégoriste [1] ». Par allégorisme, Lukacs entend la
représentation abstraite de la vie telle qu'on la
trouve, selon lui, dans le roman de Kafka qui, dit-il,
élève « le particulier... au plus haut degré d'abstrac-

1. Georges Lukacs, *La Signification présente du réalisme critique,*
p. 84.

tion [1] ». C'est le haut degré d'abstraction qu'un écrivain fait subir à sa vision de la réalité. Dans ce sens, on peut dire que les romans de Robbe-Grillet, à l'exception des *Gommes*, ont un aspect allégoriste. Mais on peut aussi dire que si ces romans sont véritablement de l'avant-garde, ils apparaîtront de moins en moins allégoristes et de plus en plus réalistes à mesure que le lecteur franchira la distance habituelle qui le sépare de toute œuvre de l'avant-garde. Comment ne pas reconnaître qu'il y a des rapports d'homologie entre l'image du monde décrit par Robbe-Grillet et la vie moderne? N'y a-t-il pas un lien entre la prépondérance de la perception visuelle dans tous les romans de Robbe-Grillet, entre le fait que l'un d'eux s'intitule *Le Voyeur* et notre civilisation technicienne? Un des aspects typiques, un des phénomènes-clefs de cette civilisation technicienne est — du point de vue qui intéresse le roman de Robbe-Grillet — l'appréhension visuelle du monde. Edgar Morin parle de l'époque du cinéma comme d'une « civilisation de l'œil [2] ». Le temps du loisir, de plus en plus étendu, est rempli par le *regard*. « Aujourd'hui, la vie privée et familiale se reconstitue dans le foyer, autour de la télévision [3]... » La télévision ne fait qu'universaliser ce que le cinéma avait fondé : le mode de vie visuel. Car il s'agit bien d'un mode de vie, d'une manière d'être devant les choses et devant autrui, et non seulement d'un passe-temps : la sensibilité contemporaine est dans la vision au détriment des

1. Georges Lukacs, *La Signification présente du réalisme critique*, p. 84.
2. *Le Cinéma ou l'homme imaginaire*, Paris, éd. de Minuit, 1956, p. 215.
3. André Philip, « Civilisation technicienne et crise politique » (*Arguments*, 3e et 4e trimestre 1962, p. 61).

autres sens. A notre époque, dit Edgar Morin, « la prééminence de l'œil s'est progressivement affirmée aux dépens des autres sens, aussi bien pour le réel que pour l'imaginaire [1] ». Et Daniel Bell : « L'influence de la technique cinématographique est devenue si pénétrante... qu'elle en vient presque à déborder le roman lui-même [2]. » La vie et la création imaginaire deviennent par conséquent une expérience pour la faculté de voir. « Alors que le XVIe siècle avant de voir " entend et flaire, hume les souffles et capte les bruits " comme l'a montré L. Febvre dans son *Rabelais*, le cinéma nous révèle la décadence de l'ouïe... en même temps qu'il assied son empire à partir des pouvoirs concrets et analytiques de l'œil [3]. »

Si les théoriciens sont d'accord à constater le caractère visuel de notre civilisation, les cinéastes caractérisent la nature de l'expérience visuelle technicienne de manière à éclairer le type d'homme créé par Robbe-Grillet. Le film, dit J. Epstein, est « cet œil grand ouvert, sans préjugés, sans morale, abstrait d'influence [4]... ». La caméra déroule des images qui sont abstraites de toutes valeurs préexistantes à elles-mêmes. On voit l'intérêt de l'art cinématographique pour un roman voué à une appréhension phénoménologique du monde, appréhension qui fait abstraction, elle aussi, de précédents. Mais il y a un autre aspect et celui-ci concerne le spectateur et son rapport aux images projetées devant lui. Cet aspect-là touche au roman de Robbe-Grillet de très près. Le film est une machine qui « voit à notre

---

1. *Le Cinéma ou l'homme imaginaire*, p. 215.
2. « L'Éclipse de la distance » (*Arguments*, 3e et 4e trimestre 1962, p. 67).
3. *Le Cinéma ou l'homme imaginaire*, p. 215.
4. Morin, p. 206.

place [1] ». « L'écran, nouveau regard, s'impose au
nôtre [2] », dit J. Epstein. Du fait cinématographique,
Daniel Bell déclare : « Ici l'événement, la distance...
la durée de la séquence, la concentration sur un
personnage ou un autre — la cadence en un mot —
sont imposés au spectateur, alors que celui-ci est
dans son fauteuil [3]... »

Ces remarques font voir combien ces théoriciens
sont d'accord à affirmer le caractère passif de
l'homme devant les images cinématographiques.
L'homme n'y est pas témoin, il y est spectateur. Or,
être spectateur c'est, par définition, ne pas agir. Ce
terme suffit pour mesurer la grande distance qui
s'est faite entre le roman de la génération précé-
dente et le roman d'aujourd'hui. Les romans de
Sartre, de Camus [4] et de Malraux sont, on l'a assez
dit, des romans de l'action. Dans tous ces romans,
l'acte était un moyen de vivre; qu'il fût d'ordre
éthique, métaphysique ou humaniste, l'action et
l'engagement y étaient le fondement de l'être. Comment, d'une génération à l'autre, de telles croyances
ont-elles pu être détruites, éliminées si radicalement
du roman? Car l'action engagée, les rapports soli-
daires avec les autres hommes sont absents non
seulement du roman de Robbe-Grillet, mais également de celui de Nathalie Sarraute, de Beckett, de
Claude Simon [5], de Claude Ollier, de Pinget.

La toute première phrase du *Voyeur* est : « C'était
comme si personne n'avait entendu. » Cette phrase

1. Morin, p. 206.
2. *Ibid.*
3. « L'Éclipse de la distance », p. 69.
4. On pense surtout à *La Peste.*
5. Il est bien vrai que Nathalie Sarraute et Beckett sont de la
génération de Sartre. Mais du point de vue littéraire, le roman de
Robbe-Grillet est plus proche du roman de Nathalie Sarraute et
de Beckett que de celui de Sartre et de Malraux.

précède le premier paragraphe, elle en est isolée et mise en relief. Il suffit de la mettre un peu à gauche de la page pour qu'elle serve d'épigraphe au roman. Dans un certain sens, tout le roman n'est autre chose qu'une amplification et une confirmation de plus en plus évidente de cette première phrase. Il devient clair à la fin du roman que c'était, en effet, comme si personne n'avait entendu, comme si personne n'avait rien vu. *Le Voyeur* est, sur le plan social, une représentation de l'abstinence morale de la société contemporaine. Un écrivain est-il vraiment un homme qui n'a rien à dire comme le prétend Robbe-Grillet? Dans un sens, Robbe-Grillet est parfaitement justifié à définir ainsi l'écrivain, car lui-même en tant qu'auteur de ses romans ne dit *rien*, absolument rien. Mais ne rien dire ne veut pas dire ne rien *montrer*. Un film silencieux, sans commentaire, peut fort bien devenir une accusation passionnée de telle ou telle situation.

Selon Maurice Blanchot, on ne peut pas affirmer que c'est bien Mathias qui a tué la jeune fille [1]. Le chapitre précédent a longuement insisté sur la nature toujours hypothétique de la réalité dans le roman de Robbe-Grillet. Pourtant, *Le Voyeur* est celui de ses romans, en dehors des *Gommes*, où il y a une action. Il ne s'agit pas, il est vrai, d'une action romanesque traditionnelle pour laquelle nous ayons la parole de l'auteur, mais d'une action que le lecteur reconstitue à partir d'une somme d'objets. La dernière partie du roman serait incompréhensible si l'on n'assumait pas que Mathias a commis un crime : les critiques, tels Hazel E. Barnes et Lucien Goldmann, n'expriment aucun doute sur la culpabilité de Mathias : « Any doubt on the reader's part of

---

1. *Le Livre à venir*, p. 201.

Mathias guilt (he himself never questions it) is dis-
pelled when Mathias meets Mme Marek's young son
Julien [1]. » Lucien Goldmann parle sans ambiguïté
aucune de l'*assassinat* de Mathias [2].

Il y a un nombre de critiques qui déclarent que le
véritable voyeur est Julien Marek et non pas le
héros : on pourrait dire que tous les personnages
sont des voyeurs, dans le sens que nous donnons à
ce mot. La sœur de la victime et Lucien Marek sont
les deux personnages qui partagent la part la plus
lourde de la passivité et de l'abstinence du regard.
Du regard qui est, pour ainsi dire, coupé de la voix,
du regard que le roman lui-même qualifie « d'aveugle
et d'inconscient ».

A partir du roman de Robbe-Grillet, on pourra
sans doute parler du « regard humain » comme on
parle de la « voix humaine ». Le regard est un acte
comme l'est la voix et il peut l'être dans un sens
moral, métaphysique et psychologique. Quand un
homme se borne à voir sans agir, le voir équivaut à
une forme d'être. Là encore, Sartre était le premier
à montrer la faculté complexe du regard :

> *J'existais en présence d'un regard... Quelle angoisse
> de découvrir soudain ce regard comme un milieu
> universel d'où je ne puis m'évader. Mais quel
> repos, aussi. Je sais enfin que je suis. Je transforme
> à mon usage et pour ta plus grande indignation le
> mot imbécile et criminel de votre prophète, ce « je
> pense donc je suis » qui m'a tant fait souffrir —
> car plus je pensais, moins il me semblait être — et
> je dis : on me voit, donc je suis* [3].

1. Barnes, « The Ins and Outs of Alain Robbe-Grillet » (*Chicago
Review*, Winter-Spring 1962, Vol. 15, N°. 3, p. 33).

2. « Les Deux Avant-gardes », p. 72.

3. Sartre, *Le Sursis*, Paris, Gallimard, 1945, p. 319-320.

La légèreté du ton n'atténue en rien l'opinion qu'en matière ontologique, « je regarde » équivaut à « je pense ». Le pouvoir qu'a l'autre de nous créer aussi bien que de nous détruire par son regard est illustré dans la nouvelle « Le Mur », par exemple. Dans *L'Être et le néant*, Sartre fait une analyse du regard qui peut être utile à l'étude du roman de Robbe-Grillet. Le regard de l'autre, selon Sartre, fait que j'ai un dehors. La description que Robbe-Grillet veut phénoménologique, description des formes concrètes, y trouve un appui. « Je saisis le regard de l'autre... comme solidification et aliénation de mes propres possibilités [1]. » Le regard peut donc nous figer et nous aliéner notre subjectivité. Le regard ainsi conçu enlève à l'autre sa durée, le réduit à n'être qu'instant, un être-surface. L'homme devient pour l'homme une surface. Nous voilà devant les rapports, rapports tels qu'on les voit, par exemple, entre le héros de *La Jalousie* et sa femme.

Les rapports entre les personnages sont essentiellement ceux de regard à regard. Dans le cas de *La Jalousie*, cela est vrai dans un sens absolu.

Les rapports entre les personnages du *Voyeur* se définissent par leur refus d'être les uns en face des autres *autrement* que par le regard. Dans ce mode d'être des personnages, mode élevé à un haut degré de généralité, d'abstraction même par la répétition têtue du même comportement des personnages, nous voyons la portée réaliste du roman. Les deux importants critiques de l'œuvre de Robbe-Grillet, Roland Barthes et Bruce Morrissette n'ont pas considéré l'aspect réaliste du roman bien que Robbe-Grillet lui-même le qualifie toujours de « réaliste ». Roland Barthes a montré la nécessité de se décondi-

---

1. *L'Être et le néant*, p. 321.

tionner par rapport à la critique traditionnelle pour
lire le nouveau roman du point de vue du nouveau
roman, et non pas du point de vue des grands
romanciers du passé. A cet égard, son étude sur *Les
Gommes*, par exemple, est lumineuse. Ses conclusions sur *Le Voyeur*, par contre, semblent donner
dans le proverbe anglais : « to throw out the baby
with the bath water ». « J'ai indiqué, dit-il, que le
crime, ici, n'était rien de plus qu'une faille de l'espace et du temps [1]... » Et, plus loin :

> *Il est toujours possible d'occuper la* lettre *du
> récit par une spiritualité implicite et de transformer
> une littérature du pur constat en littérature de la
> protestation ou du cri* [2].

Qu'est-ce que cela veut dire? Qu'est-ce que c'est
qu'un crime qui n'est « qu'une faille de l'espace et
du temps »? Est-ce encore un crime? Et peut-il y
avoir un roman qui soit pure littéralité? Le mot,
comme l'objet littéraire, est toujours choisi. En
littérature, il n'y a pas de descriptions « littérales »,
elles sont toujours *intentionnelles* :

> *Même si l'on y trouve beaucoup d'objets, et décrits
> avec minutie*, dit Robbe-Grillet, *il y a toujours et
> d'abord le regard qui les voit, la pensée qui les revoit,
> la passion qui les déforme* [3].

La deuxième interprétation, représentée par Bruce
Morrissette, est la plus répandue et consiste à réduire
Le Voyeur à une étude de psychopathologie et son
héros à un malade. La critique anglo-saxonne tend
souvent à reléguer les personnages des romans

1. « Littérature littérale » (*Critique*, septembre-octobre 1955,
p. 824).
2. *Ibid.*, p. 825.
3. « Le " Nouveau Roman " » (*La Revue de Paris*, septembre
1961).

modernes dans la catégorie de « psychopathes [1] ».
Dans l'esprit de Bruce Morrissette, tous les personnages de Robbe-Grillet sont des anormaux. Mathias
« aussi, dit-il, participe de la psychopathologie robbegrilletienne [2] ». Morrissette situe Mathias « dans
la gamme des types plus ou moins anormaux qui
semblent hanter Robbe-Grillet [3]... » Si tous les personnages de Robbe-Grillet sont des « anormaux et
des psychopathes », les romans de Robbe-Grillet
deviennent des études cliniques et glissent hors du
domaine littéraire. Si on continue à les traiter
comme des romans, il faut reconnaître que les personnages représentent une conception de l'homme
et non des maladies mentales.

L'intérêt de Mathias n'est pas dans sa perversité
et dans sa psychopathologie. D'ailleurs, le psycho-
pathe, assurent les médecins, est celui qui n'a pas
de conscience morale de son action criminelle. Or,
Mathias est pleinement conscient de son crime. On
est en droit de dire que Mathias est le seul, dans le
roman, à en être conscient. Quand il s'efforce de se
voir à travers les yeux des autres, les yeux de la
société, il se renvoie cette image de lui-même :
« Demain, de bonne heure, le vieux garde civil vien-
drait arrêter " l'ignoble individu " [4]... » Mme Barnes
affirme même que Mathias lui-même ne met jamais
en question sa culpabilité [5]. Qui donc la met en
question?

On a vu, dans le chapitre précédent, comment

---

1. C'est ainsi que beaucoup d'Américains considèrent Faulkner
comme un écrivain régional, traitant des problèmes du Sud, des
excentricités, de la décadence de certains Blancs du Sud, bref, d'une
maladie limitée qui ne concerne pas l'humanité en général.
2. *Les Romans de Robbe-Grillet*, Paris, éd. de Minuit, 1963, p. 102.
3. *Ibid.*
4. *Le Voyeur*, p. 227.
5. « The Ins and Outs of Alain Robbe-Grillet », p. 33.

Robbe-Grillet se borne à montrer les yeux de Julien Marek, comment la description revient sans cesse sur le regard de Julien Marek, comment toutes sortes d'infirmités physiques et même mentales sont conjecturées pour expliquer ce regard étrange. Mathias finit par conclure que Julien Marek a été présent à la scène du crime, qu'il a tout vu et que son arrestation n'est plus qu'une question de temps : « Le jeune Julien Marek l'avait probablement dénoncé dans la soirée [1]. »

Or, Julien n'en fit rien. Pourtant Julien avait dans sa possession, les objets qui inculpaient Mathias à tel point que celui-ci se sentit « prêt à se débarrasser du jeune Marek en le précipitant dans l'abîme [2] ». Mais il n'y avait aucun besoin de se débarrasser de Julien puisque Julien détruisit l'une après l'autre les pièces à conviction : l'enveloppe du bonbon qu'il jette à la mer et le bout de cigarette. Il remet, toutefois, dans sa poche la troisième pièce à conviction : la ficelle tachée de cambouis. A notre connaissance, il n'y a guère qu'un critique qui ait qualifié cette scène d' « effrayante » : « most horrifying moment in the novel [3] ». En effet, cette scène est effrayante dès qu'on consent à considérer ses descriptions non pas d'une façon purement littérale et optique, mais en leur reconnaissant une intention.

Pourquoi Julien Marek se borne-t-il à fixer des « yeux de verre » sur Mathias, sans dire un mot, pourquoi passe-t-il sous silence ce qu'il a vu? Si Julien, pour quelque raison de maladie mentale, ne sait pas parler, Maria Leduc, sœur de la victime, que Mathias soupçonne de connaître le meurtrier, devrait parler. S'apercevant qu'elle le cherche, Mathias est

---

1. *Le Voyeur*, p. 227.
2. *Ibid.*, p. 213.
3. H. Barnes, « The Ins and Outs of Alain Robbe-Grillet », p. 33.

pris de panique. Terreur inutile, car Maria Leduc ne veut autre chose que lui acheter une montre. Mathias lui parle de leur rencontre manquée pendant cette heure qui manque dans le récit, espérant qu'elle fera d'elle-même allusion à l'accident,

> *Mais, la jeune fille ne manifestant aucune intention d'aborder ce sujet, il doit l'y amener de façon plus directe* [1]...
> *[Mais] elle n'a pas le temps de s'attarder, dit-elle, pour revenir à l'achat qui l'occupe* [2].

Il y a dans le roman une autre jeune fille, destinée à répéter le même thème et qui ne tient pas à témoigner non plus : l'amie ou la femme de Jean Robin, l'homme qui ne s'appelait pas Jean Robin... Elle montre la troisième cigarette à peine consumée, pièce à conviction du même ordre que celles de Julien. Quand Mathias la lui arrache, la jeune femme déclare : « J'aurais rien dit c'était pas la peine de me l'enlever... Je voulais la lancer dans la mer [3]... » Elle allait donc faire ce que Julien a fait : détruire l'évidence. Julien a, à son tour, un double. Quand Mathias refuse l'occasion de quitter l'île, le patron du café remarque : « Moi, je pensais que peut-être vous aviez hâte de quitter l'île [4]... » Croyant discerner un danger, Mathias observe le patron. Un troisième personnage observe Mathias. C'est le jeune marin qui, pareil à Julien, regarde sans rien voir : « Ses yeux semblent ne rien voir [5]. » Pourquoi ces personnages refusent-ils de *voir* avec leurs yeux grands ouverts ? Y a-t-il un rapport entre ce roman et le monde de maintenant, le monde dans

1. *Le Voyeur*, p. 249.
2. *Ibid.*, p. 250.
3. *Ibid.*, p. 184.
4. *Ibid.*, p. 243.
5. *Ibid.*, p. 243.

lequel il est écrit? A chaque lecture recommencée,
Le Voyeur apparaît de plus en plus comme un
roman dont la vision du monde reflète une époque.
A cet égard, les conclusions de Roger Vailland sont
surprenantes :

> *Je ne vois pas, dit-il, l'utilité d'employer le terme
> roman pour des œuvres qui sont des recherches poé-
> tiques très valables. Roman a une définition précise,
> qui implique une conception de la vie, de l'homme,
> donc des personnages, du temps et de l'action. L'éti-
> quette convenable à un Robbe-Grillet... serait : travail
> sur le langage* [1].

Le Voyeur n'implique-t-il pas une conception de
la vie et de l'homme? Quand Robbe-Grillet dit, par
exemple, que dans un de ses romans « le creux fonctionne comme un personnage », cela n'implique-t-il
pas une conception du personnage et même une
conception assez nouvelle?

Lucien Goldmann évalue ainsi les romans de
Robbe-Grillet :

> *...si on donne au mot réalisme le sens de création
> imaginaire d'un monde dont la structure est homo-
> logue à la structure essentielle de la réalité sociale au
> sein de laquelle l'œuvre a été écrite... Robbe-Grillet
> est un des écrivains les plus profondément réalistes
> de la littérature française d'aujourd'hui* [2].

Le roman de Robbe-Grillet serait donc une création réaliste et, par réalisme, Lucien Goldmann
entend la mise en forme d'une vision qui correspond
au type d'homme et à la société de son temps. Par
là, Lucien Goldmann donne, non seulement une excellente définition du réalisme, mais encore en rap-
pelle-t-il le caractère relatif. La réalité est située,

1. « Entretien » avec Alain Célérier (*Combat*, 15 février 1963).
2. « Les Deux Avant-gardes », p. 78.

elle aussi, et sujette au temps. Cette relativité du réel rend la littérature de l'avant-garde toujours problématique pour le lecteur.

Après avoir décrit les personnages en tant qu'in-dividus, Robbe-Grillet semble les intégrer dans un cadre social en composant vers la fin du roman une scène de l'attitude collective. Ici, le comportement visuel, l'opinion qui caractérise ces personnages, à savoir qu'on ne change rien à la réalité, bref, la fuite dans le regard, est représentée par un recours à l'anachronisme : la fatalité à la grecque. (C'est aussi un retour aux procédés des *Gommes*.)

> *Un très vieil homme... racontait une histoire... Il [Mathias] comprit... qu'il s'agissait d'une ancienne légende du pays... une jeune vierge, chaque année au printemps, devait être précipitée du haut de la falaise pour apaiser le dieu des tempêtes et rendre la mer clémente aux voyageurs et aux marins... Le vieil homme fournissait une quantité de détails... chose curieuse, il ne s'exprimait qu'au présent : « on la fait mettre à genoux [1]... »*

Que fait ce personnage, de toute manière impor-tant puisque porteur de légende, il devient, dans les procédés de Robbe-Grillet, le motif, le thème du roman. Loin de prendre conscience d'un acte qui a lieu dans le présent, c'est l'ancienne légende qu'il met au présent. Puisque une jeune fille est préci-pitée dans sa mort à intervalles réguliers, puisqu'il en fut ainsi dans les légendes, pourquoi vouloir

---

1. *Le Voyeur*, p. 220-221. On pourrait dire que la scène du vieil homme perd son effet puisqu'elle semble perçue dans un état ambigu de la conscience. Mathias paraît ne pas bien entendre et même, peut-être, a-t-il somnolé pendant le récit. A quoi on peut répondre que la tendance majeure des romans de Robbe-Grillet est de ne pas distin-guer les différents niveaux de la conscience, de ne pas faire de fron-tières entre rêve et réalité.

changer le cours naturel des choses? « On ne change
rien à la réalité [1] », dit un personnage de *La Jalousie*, après avoir conclu que « les choses sont ce
qu'elles sont [2] ».

Si *Le Voyeur* se termine par des images du
« blanc » et du « lavé », ce n'est pas parce que
Mathias, par quelque magie, aurait retrouvé son
innocence. C'est parce qu'au regard des autres, aux
yeux de la société, le viol et le meurtre de la jeune
fille ne sont rien d'autre qu'un fait divers. Aussi
peut-il contempler en toute liberté la coupure de
journal qu'il se décide finalement à brûler : « Il ne
subsiste ainsi du fait divers aucune trace repérable
à l'œil nu [3]. » Il en fait autant d'une pièce à conviction qu'il fait glisser dans une fente et qui « disparaît aux regards, absorbée par le vide et l'obscurité [4] ».

On remarque ainsi l'autorité exclusive du regard
en matière de culpabilité et d'innocence. L'œil, ici,
fonctionne comme une caméra. La caméra décom-
pose le mouvement et le fige en instantanés discontinus. Le regard renvoie ici à des personnalités
parcellaires étant donné que l'appréhension visuelle
n'est pas reliée à l'ensemble de la personnalité. Ce
type d'homme demeure forcément spectateur puisqu'il est atomisé en une série de perceptions visuelles
isolées les unes des autres et non reliées à un ensemble
qui formerait une personnalité. Devant de tels sujets,
on ne peut plus parler de dualité, de dichotomie de
la personnalité — qui serait ici dichotomie entre le
voir et le penser, le réagir moral — mais d'une
pulvérisation, d'un éclatement de la personnalité.

1. *La Jalousie*, p. 83.
2. *Ibid.*, p. 83.
3. *Le Voyeur*, p. 237.
4. *Ibid.*, p. 239.

Il n'y a pas de doute, cependant, que la conscience de Mathias était la conscience d'un homme qui se sentait coupable. Encore faut-il ajouter que la crainte d'être arrêté contribuait considérablement aux troubles de sa conscience. Mais, quand Mathias a compris que la société qui le regardait n'avait pas « d'arrière-pensée... ni même de pensée d'aucune sorte [1]... », quand il s'est bien rendu à l'évidence que les hommes et les femmes de cette île ne demandent pas mieux que de jeter à la mer les pièces à conviction, quand il a ainsi compris son « innocence », Mathias a retrouvé le cours normal des choses : « Si je n'ai pas un bon café au lait, bu sans me presser, avec deux ou trois tartines, je ne suis bon à rien [2]. »

Robbe-Grillet lui-même parle de Mathias comme d'un menteur. Il faut se rappeler que Mathias n'est pas seulement l'auteur de l'action principale du roman mais aussi son narrateur. On comprend fort bien qu'il mente, qu'il invente histoire après histoire pour le regard d'autrui puisqu'il y va de sa vie. Mais Mathias, narrateur, pourquoi dérobe-t-il au lecteur cette heure dans le récit? Si Robbe-Grillet prétend ne pas savoir si Mathias est coupable, Mathias, lui, devrait savoir s'il a tué ou non la jeune fille. C'est ici qu'est la source de la beauté de ce livre. Si Mathias a tué la jeune fille — et, à notre point de vue, aucun doute là-dessus n'est possible — il le sait, et l'escamotage du crime, en tant que fait objectif, n'aurait en soi aucune valeur romanesque réelle. Cela deviendrait une inconnue d'ordre policier et non la complexité véritable qu'elle est en réalité. L'intérêt de l'inconnue, du creux dans le roman, n'est pas dans la vérité objective du fait

1. *Le Voyeur*, p. 244.
2. *Ibid.*, p. 242.

— a-t-il ou n'a-t-il point commis l'acte en question? — mais dans l'inconnue qui pose le problème du réel. Mathias est-il réellement coupable dans un sens absolu et dans un sens relatif à la conscience sociale?

A cette question, le roman ne donne pas de réponse. Et, non seulement toute réponse y est refusée, mais encore a-t-on conçu le roman de telle manière qu'aucun fragment n'en est assez univoque, assez consistant et solide pour permettre au lecteur une conjecture tant soit peu raisonnable. Bernard Dort a remarqué avec beaucoup de justesse le caractère paradoxal du *Voyeur* : « Il nous fait croire à un monde solide, clair et cohérent, déchiffrable par le regard, alors que le monde qu'il nous montre est justement un monde qui s'effrite [1]. » La description est on ne peut plus concrète, matérielle, précise : ce qui pourtant s'en dégage, c'est l'éclatement, la pulvérisation du réel. Robbe-Grillet est en droit de dire qu'il ignore si Mathias est innocent ou coupable. C'est là la raison véritable de ce blanc dans le récit qui n'est rien d'autre que ce creux moderne dans la réalité qui se propage sur l'existant, le ronge et le détruit. Mathias ne sait pas s'il est coupable ou innocent. Sa situation est donc exactement la même que celle du lecteur. Mais ce qui fait de ce creux un creux moral, c'est que sur un plan social et moral et non plus métaphysique, les hommes se comportent comme s'ils ne savaient rien et ne voyaient rien. Or, sur le plan social, ce creux est une apathie, une atrophie civile et non une réalité à laquelle on ne peut rien changer.

1. « Épreuves du roman; le blanc et le noir » (*Cahiers du Sud*, août 1955, n° 330, p. 304).

> *La jalousie*, dit Robbe-Grillet, *est une sorte de contrevent qui permet de regarder au-dehors et, pour certaines inclinaisons, du dehors vers l'intérieur; mais, lorsque les lames sont closes, on ne voit plus rien, dans aucun sens* [1].

La jalousie est-elle le véritable sujet de ce roman? Ou plutôt, y a-t-il un autre sujet? Ce qu'il y avait à l'origine de ce roman, ce n'est pas de la jalousie, passion qui naît de l'amour, mais bien plutôt ce « contrevent » qui permet de regarder : regarder les choses d'une certaine manière. Dans le roman de Robbe-Grillet, être jaloux c'est une certaine manière de regarder l'être aimé. Or, il n'y a pas de passion humaine plus relative au sujet, plus subjectivisante, plus déformante que la jalousie. La jalousie étant la structure même de la vision relative, Robbe-Grillet ne pouvait pas trouver de métaphore plus précise, pour représenter le mode d'être de l'esprit [2].

Ayant choisi cette métaphore de la jalousie, Robbe-Grillet s'y limite scrupuleusement :

> *Au lieu de servir la glace, elle continue à regarder vers la vallée. De la terre du jardin, fragmentée en tranches verticales par la balustrade, puis en tranches horizontales par les jalousies, il ne reste que de petits carrés représentant une part très faible de la surface totale — peut-être le tiers du tiers* [3].

1. « Prière d'insérer », page de couverture de *La Jalousie*.
2. Au cours d'un débat intitulé : « Robbe-Grillet : objectivité ou psychopathologie », tenu à la Maison des Centraux Paris, le 19 février 1963, Mme Gerda Zeltner a remarqué que *Huis clos* est pour Sartre ce que *La Jalousie* est pour Robbe-Grillet. Le héros de *Huis clos* connaît l'enfer qui consiste à ne pas pouvoir fermer les yeux. Le héros de *La Jalousie*, lui aussi, ne peut s'empêcher de regarder.
3. *La Jalousie*, p. 52.

Puisque le mari surveille sa femme à travers une jalousie, il est évident que le champ de sa perception est déterminé par la structure de cette jalousie, que son champ est à la fois restreint et déformé par les lames qui découpent le monde selon un certain sens. Pour aggraver ce morcellement, la terre que regarde A... est, elle aussi, fragmentée mais en sens opposé, de sorte que par rapport à celui qui veut surveiller le *tout*, le tout ne peut être qu'un tiers du tiers, une part très faible du monde, de ce qu'il désire dominer par le regard : par le regard et en tant que spectateur et non en tant qu'acteur. Le mari ne dit rien, n'entreprend rien pour changer quoi que ce soit à sa propre situation. Ainsi, les personnages du *Voyeur* étant dans une attitude d'abstinence, de purs spectateurs devant la conscience sociale, le héros de *La Jalousie* est spectateur de sa propre conscience contemplative, non agissante.

Dans le *Labyrinthe*, le regard répète l'impossibilité de se transcender vers autre chose, de se dépasser. Par rapport aux autres romans de Robbe-Grillet, *Dans le labyrinthe* est en quelque sorte une crise du regard. On dirait que le regard ne trouve pas ici d'objet sur lequel se poser. Il se peut que ce soit la raison pour laquelle le monde, dans le *Labyrinthe*, est toujours recouvert de neige et de poussière, et nivelé par l'uniformité architecturale. C'est dans cette incapacité du regard à devenir obsession, à se dépasser ainsi vers autre chose que soi-même, que réside la portée métaphysique du regard dans le *Labyrinthe* [1].

---

1. « Si Bergson définit la philosophie dans cette formule : « La philosophie devrait être un effort pour dépasser la condition humaine », nous devons dire au contraire que l'existentialisme se montre impuissant à dépasser cette condition même autrement que par une foi que la philosophie ne saurait justifier par elle seule. C'est pour-

L'impossibilité à dépasser la réalité purement humaine se ramène à cette absence, dont il était question dans un chapitre précédent, à cette absence de quelque chose, d'une part essentielle à l'homme, capable de provoquer une transcendance, une croyance ou, en termes robbegrilletiens, capable de faire disparaître le creux au cœur de la réalité.

Dans la mesure où poser des questions c'est poser une métaphysique, Robbe-Grillet réussit à bannir la métaphysique de son roman. Par rapport à Joseph K..., par exemple, le héros du *Labyrinthe* est sans questions. Bien plus, il en empêche tout surgissement en se bornant à ne pas savoir, à ne se rappeler rien. « Je ne sais pas » est l'expression la plus fréquente du soldat, phrase destinée à prévenir toute spéculation. La vie de Joseph K..., on se le rappelle, se termine par un paragraphe de questions désespérées dont la dernière est : « Où était la haute cour à laquelle il n'était jamais parvenu? » Dans le *Labyrinthe*, l'interrogation est remplacée par le regard. Il a pour fonction d'empêcher la fuite vers le dépassement. « L'idée d'une intériorité conduit toujours à celle d'un dépassement [1]. » Sa fonction est de maintenir la conscience au ras du réel, dans « l'ici et le maintenant » visible, d'endiguer ainsi l'existence pour qu'elle ne renvoie à rien d'autre qu'elle-même, pour que tout dépassement lui demeure interdit.

---

quoi l'existentialisme, lié à une analyse indéfinie de la réalité humaine (et, sur ce point, cette analyse rejoint sans cesse une littérature qui semble être partie intégrante de la philosophie existentielle), implique une crise de la philosophie même » (Jean Hyppolite, « Du bergsonisme à l'existentialisme », cité par A. Cuvillier, *Anthologie des philosophes français contemporains*, Paris, Presses Universitaires de France, 1962, p. 12-13).

1. « Nature, humanisme, tragédie », p. 588.

LE MONDE SANS QUALITÉS

*Jamais autant que dans notre siècle l'homme
n'a été séparé de la substance des choses* [1].

Yves Bonnefoy.

« La *surface* des choses a cessé d'être pour nous
le masque de leur " cœur [2] ". » Cette remarque de
Robbe-Grillet est le fondement théorique de la description des surfaces, du roman au ras des choses.
Ce qui est important, dans ce parti pris des surfaces,
n'est pas tellement la surface en soi mais, plutôt, ce
qu'implique la prééminence des surfaces dans le
roman. Elle comporte, en fait, le discrédit du
« cœur » des choses, la ruine des substances, la dissolution des qualités internes. Ce glissement vers
la face extérieure et plane est la caractéristique de
l'objet romanesque moderne.

Il y a chez Flaubert, dit Robbe-Grillet, *une amorce
de ce qui pourrait s'appeler la présence de l'objet
dans la littérature moderne* [3].

Deux faits sont ici soulignés : l'objet est une présence essentielle dans la littérature moderne, et

1. *L'Improbable*, Paris, Mercure de France, 1959, p. 51.
2. « Une voie pour le roman futur », p. 84.
3. Débat intitulé : « Révolution dans le roman? » (*Le Figaro
littéraire*, 29 mars 1958).

l'objet n'est pas l'invention des romanciers modernes.
Le XIXᵉ siècle lui a consacré une part prodigieuse.
Mais une part de quelle nature? Il est vrai que
l'objet, chez Flaubert, diffère d'une manière importante de l'objet chez Balzac et chez Zola, par
exemple. Dans beaucoup de ses descriptions, Flaubert n'assigne pas aux objets le rôle exclusivement
médiateur qu'ils assument chez Balzac et les natu-
ralistes :

> *En face de la fenêtre surplombant le jardin, un*
> *œil-de-bœuf regardait la cour; une table, près du lit*
> *de sangle, supportait un pot à eau, deux peignes, et*
> *un cube de savon bleu dans une assiette ébréchée.*
> *On voyait contre les murs : des chapelets, des*
> *médailles, plusieurs bonnes Vierges, un bénitier en*
> *noix de coco; sur la commode, couverte d'un drap*
> *comme un autel, la boîte en coquillages que lui avait*
> *donnée Victor; puis un arrosoir et un ballon, des*
> *cahiers d'écriture, la géographie en estampes, une*
> *paire de bottines; et au clou du miroir, accroché par*
> *ses rubans, le petit chapeau de peluche* [1]*!*

Cette description de Flaubert est surprenante
parce que les objets n'y représentent rien d'extérieur
au personnage, aucune valeur non affective. On
peut même dire que les objets ici sont ontologiques :

1. Flaubert, *Un cœur simple, Trois contes*, Paris, Classiques Garnier, 1960, p. 61. « Celui qui m'étonnera en me parlant d'un caillou,
d'un tronc d'arbre, d'un rat, d'une vieille chaise, sera certes sur la
voie de l'art et apte, plus tard, aux grands sujets. » Cette phrase de
Maupassant (cité par Albert-Marie Schmidt, *Maupassant par lui-
même*, Paris, éd. du Seuil, 1962, p. 62) montre la différence qu'il peut
y avoir entre le concept de l'objet au XIXᵉ siècle et aujourd'hui. Ici,
l'objet n'est pas un ustensile, il est vrai, il reste toutefois un prétexte
à exercice. Savoir décrire des objets, c'est se préparer à la description
de véritables, de « grands sujets ». D'ailleurs, le dernier objet de
cette série laisse voir la fonction que lui assigne Maupassant : l'objet
à choisir est un objet à signification : une vieille chaise est une poésie
en soi.

ils constituent l'être Félicité : c'est leur inventaire
qui compose le portrait. Pourtant, ce qui fait
que l'objet chez Flaubert demeure un objet du
XIXe siècle, c'est la fable que Flaubert sous-entend
entre l'objet et le personnage. Voici un exemple :
« La ferme avait, comme eux, un caractère d'an-
cienneté [1]. » Il y a un rapport profond entre le personnage et *ses* objets, l'un renvoie à l'autre, le
contient et l'explique, affirme l'unité qu'il y a entre
le personnage et ses choses, son milieu. Par là,
l'objet chez Flaubert rejoint une des croyances
essentielles de son siècle. Il est vrai que les objets,
chez Flaubert, sont souvent étonnamment dépour-
vus d'adjectifs qualificatifs et ils sont toujours libres
de toute idéologie. En cela, Flaubert diffère de Balzac et de Zola. Mais l'absence d'adjectifs est trompeuse chez Flaubert, car Flaubert remplit ce vide
par la nature unique, privilégiée, de l'objet. « Des
choses singulières d'un usage inconnu [2] », que Flaubert aime à décrire (dans *Salammbô*, *La Tentation
de saint Antoine*, les *Contes*, par exemple), sont en
soi des valeurs, des objets « singuliers ».

L'objet moderne ne transcende pas le roman, il ne
peut représenter des valeurs extra-romanesques,
qu'elles soient d'ordre social, moral, matériel ou
esthétique.

Un exemple extrême de la fonction que peut
assumer un objet dans la littérature moderne se
trouve dans la pièce d'Ionesco, *Les Chaises*. La pièce
consiste à multiplier les chaises pour des gens invi-
sibles. Les chaises sont toujours là, envahissant toute
la scène tout en demeurant vides. Il y a une multiplication d'objets similaires dans *Victimes du devoir* :

1. Flaubert, *Un cœur simple*, p. 19.
2. *La Légende de saint Julien l'Hospitalier*, *Trois contes*, Paris,
Classiques Garnier, 1960, p. 84.

Madeleine entre, avec une tasse de café; elle ne voit plus personne. Elle posera la tasse sur le buffet, sortira de nouveau. Elle fera ce manège beaucoup de fois de suite, sans arrêt, de plus en plus vite, en amoncelant les tasses, jusqu'à couvrir tout le buffet [1].

La nature singulière de ces objets est qu'ils sont là pour des personnes mais ce sont toujours les objets qu'on voit, qui s'imposent. Que représentent de tels objets? Ont-ils une signification matérielle, sociale, psychologique, esthétique? Dans un sens traditionnel, non. Mais il s'agit d'un théâtre écrit pour l'homme. Pour quel genre d'homme? Pour un homme qui est comme ces objets, dépourvu à la fois et d'historicité et de tout caractère absolu. Dépouillées ainsi de tout caractère médiateur, les chaises assument des rapports immédiats avec les personnages, il ne s'agit même plus de rapports, personnages et chaises ne font qu'un. *Ils sont selon un mode sans attributs.* Ce rapport indissoluble et sans prédicat, entre personnage et objet, donne à cette pièce son caractère extrêmement moderne. Il suffit de garder à l'esprit ces chaises pour constater la grande différence qu'il y a entre l'objet classique et l'objet moderne. L'objet a subi une éclatante évolution : simple messager auparavant, il prévaut aujourd'hui sur l'être humain. L'existence, dirait-on, demande à l'objet de l'incarner faute de ne pas être.

Toute la littérature moderne témoigne de cette dépendance de plus en plus marquée de l'objet. Ainsi, la dernière image de Bloom dans l'*Ulysse* de Joyce est celle de Bloom devant les objets contenus dans deux tiroirs. L'inventaire d'un seul des deux tiroirs remplit à lui seul deux pages, soit l'énumération d'une trentaine d'objets. Mais l'objet dans le

1. E. Ionesco, *Théâtre*, Paris, Gallimard, 1954, p. 216.

roman de Joyce a un caractère paradoxal; à peine
entré dans le roman, il s'y noie aussitôt, il n'y entre
que pour être aussitôt submergé dans ce torrent sans
rivage qu'est ce roman. « La vie est un torrent [1] »,
pense Bloom. L'objet n'est, en fait, qu'un prétexte
à déclencher un torrent d'associations :

> *Un cahier d'écriture à couverture illustrée, appar-*
> *tenant à Milly (Millicent) Bloom, avec, sur cer-*
> *taines pages, des dessins géométriques portant l'ins-*
> *cription Petitpère, et qui représentaient une énorme*
> *tête ronde avec cinq cheveux dressés, deux yeux vus*
> *de profil, le tronc de face orné de trois grands bou-*
> *tons, le pied triangulaire; deux photographies pas-*
> *sées de la reine Alexandra d'Angleterre et de Maud*
> *Branscombe, actrice et beauté à la mode; une carte*
> *de Noël avec l'image d'une plante parasite [2]...*

Cette énumération se poursuit pendant deux
pages. Seule une interruption fortuite, dépourvue de
toute nécessité, vient mettre un terme au flot des
associations. « Quel objet ajouta Bloom à cette collection d'objets [3] ? » demande l'auteur avant de
décrire un second tiroir d'objets. Mais Joyce ne
décrit pas les objets, il les nomme, et à chaque nouveau nom, l'objet précédent est englouti. Chez Joyce,
les associations d'objets servent à dissocier les frag-
ments de la réalité. L'objet joycien a une fonction
pléthorique : il doit à la fois évoquer et, en même
temps, détruire toute une civilisation.

> *Maisons, files de maisons, rues, kilomètres de*
> *trottoirs, piles de briques, pierres. Ça change de*
> *mains. Ce propriétaire-ci, celui-là. On dit que le*
> *mort saisit le vif. Un autre se glisse dans ses sou-*

1. J. Joyce, *Ulysse*, Paris, Gallimard, 1948, p. 150.
2. *Ibid.*, p. 644.
3. *Ibid.*, p. 646.

*liers quand il reçoit sa feuille de route. Ils achètent
ça à prix d'or, et après ils ont encore tout l'or. De la
filouterie quelque part là-dedans. Amoncelé dans
les villes, miné par les siècles. Pyramides dans le
sable. Bâties avec le pain et les oignons. Esclaves
de la muraille de Chine. Babylone. Les grosses
pierres restent. Tours rondes. Le reste, débris, ban-
lieues envahissantes, bâclées en série, maisons pous-
sées comme des champignons, bâties de vent. Asiles
de nuit* [1].

Joyce ne voit le monde qu'à travers les objets
et il le précipite dans le néant en y précipitant les
objets. L'objet joycien est précurseur de l'objet
contemporain en ce qu'il n'a d'autre fonction que
refléter un état de conscience. Il est « passéiste »
toutefois en ce qu'il est toujours objet de culture
et de civilisation.

Ce qui renouvelle l'intérêt de *La Nausée* de Sartre,
ce qui lui donne une importance exemplaire par
rapport aux romans de Robbe-Grillet, c'est la valeur
ontologique que Sartre y accorde à l'objet. C'est à
cet aspect-là du roman que Robbe-Grillet revient
le plus souvent. On peut mesurer la distance qu'a
parcourue l'objet si l'on compare le rôle que lui
assignait Balzac par exemple et celui qu'il assume
dans *La Nausée*. Chez Sartre, l'objet est un état
d'esprit métaphysique : « La Chose, c'est moi [2] »,
dit Roquentin. Ici, éprouver les objets d'une certaine
manière, c'est éprouver l'existence d'une certaine
manière. Si certains objets remplissent Roquetin de
dégoût, c'est qu'ils *existent*. Or, Roquentin a horreur
d'exister. L'équivalence de l'objet-conscience est
entière. Le malaise de la conscience n'est pas, dans
ce roman, une abstraction, c'est une nausée, « une

1. *Ulysse*, p. 161.
2. Sartre, *La Nausée*, p. 127.

sorte de nausée dans les mains [1] ». La conscience
de Roquentin, ses imaginations ne font qu'un avec
ces objets bien connus : galet, bretelles mauves,
racines de marronnier, etc. Pourtant, personne ne
s'est avisé de dire que Sartre était « chosiste » ou
inhumain. La raison en est évidente : Sartre a toujours ajouté une petite phrase à la chose et cette
phrase était destinée à sauver l'humanisme, à assurer le primat de l'esprit sur l'objet :

> *Il y a un rond de soleil sur la nappe en papier.*
> *Dans le rond, une mouche se traîne, engourdie, se*
> *chauffe et frotte ses pattes de devant l'une contre*
> *l'autre. Je vais lui rendre le service de l'écraser.*
> *Elle ne voit pas surgir cet index géant dont les poils*
> *dorés brillent au soleil* [2].

Sans la phrase que nous avons soulignée, cette
description de *La Nausée* est contemporaine de la
rigueur ascétique telle qu'elle est recherchée dans
le roman de Robbe-Grillet. On peut voir dans ce
paragraphe, à la fois ce que Robbe-Grillet doit aux
descriptions de Sartre, et ce qu'il y récuse. Ce qu'il
y récuse c'est, bien entendu, « Je vais lui rendre le
service de l'écraser ». On peut voir aussi comment,
d'un seul coup, soleil, nappe, mouche et pattes
s'évanouissent, sont relégués au secondaire par cette
phrase au milieu. Tout n'était donc échafaudé que
pour avoir l'occasion de dire : moi, Roquentin,
l'existence me dégoûte, ergo, la mouche est également dégoûtée, la mort est donc une grâce à lui
rendre.

Chez Kafka, il n'y a pas d'intrusion réflexive de
ce genre et c'est pourquoi ses romans ont cette
parfaite homogénéité dans la vision dont toute dua-

1. *La Nausée*, p. 23.
2. *Ibid.*, p. 133.

lité entre paraître et être a disparu. Là, les bureaux
de justice sont décrits pour donner la sensation,
l'image, l'expérience irréductible des bureaux de
justice. Peu avant l'exécution de K..., le roman
présente une dernière et la plus importante image
de l'absence : une cathédrale vide. Comment amener
K... dans pareil endroit, tout en restant dans la
banalité du quotidien? K... se trouvera « chargé de
montrer quelques monuments artistiques à un client
italien très utile à la banque [1]... »

> *La place de la cathédrale était complètement vide,*
> *K... se rappela que tout enfant il avait déjà remar-*
> *qué que les maisons de cette place étroite avaient*
> *toujours les rideaux baissés. Avec le temps qu'il*
> *faisait ce jour-là c'était une chose qu'on comprenait*
> *plus facilement. La cathédrale paraissait vide comme*
> *la place; personne n'avait l'idée d'y venir à cette*
> *heure-là [2].*

Le touriste étant en retard, K..., fatigué et dési-
rant s'asseoir, entra dans l'église où il remarqua
« contre un pilier qui touchait presque les bancs du
chœur une petite chaire supplémentaire, toute simple,
en pierre blanche et nue. Elle était si petite que
de loin elle avait l'air d'une niche encore vide destinée à recevoir une statue [3] ». Sans l'obscurité qui
régnait dans l'église, K... n'aurait pas remarqué
cette chaire « si elle n'avait été éclairée par une
lampe du genre de celles qu'on allume avant le sermon. Allait-il y avoir un sermon? Dans cette église
vide [4]? »

La description de Kafka supprime les grands

1. *Le Procès*, p. 264.
2. *Ibid.*, p. 270.
3. *Ibid.*, pp. 273-274.
4. *Ibid.*

procédés auxquels la littérature occidentale avait recours pour représenter la réalité : analogie, métaphore, symbole. L'absence chez Kafka et dans le roman moderne, représenté par le roman de Robbe-Grillet, l'absence de ces procédés littéraires ne signifie pas un simple changement de mode littéraire mais implique la dissolution de cette cosmologie occidentale dans laquelle toute partie était tissée de toutes les autres. L'unité du monde étant une réalité, le poète était chargé de la réaffirmer par le langage analogique : « La fonction du poète est de révéler l'unité du monde. Il doit s'en acquitter à l'aide d'images, c'est-à-dire en dévoilant les correspondances étroites qui existent entre deux réalités apparemment distinctes. Plus leur écart sera considérable et plus les images du poète seront révélatrices de l'unité universelle [1]. » La grande poésie était la poésie révélatrice de l'« unité universelle » à laquelle l'homme participait en être privilégié. Le poète « inspiré » ne faisait ainsi que dévoiler ce qui *était*, à savoir la sympathie universelle, l'identité humaine et cosmique. C'était là le fondement de la fameuse phrase de Gérard de Nerval : « Je crois que l'imagination humaine n'a rien inventé qui ne soit vrai dans ce monde ou dans l'autre [2]. »

1. A. Rolland de Renéville, *Rimbaud le voyant*, Paris, éd. Au Sans Pareil, 1929, p. 26.
2. La cosmologie anthropomorphique est, chez Nerval, extrêmement marquée : « Comment, me disais-je, ai-je pu exister si longtemps hors de la nature et sans m'identifier à elle? Tout vit, tout agit, tout se correspond; les rayons magnétiques émanés de moi-même ou des autres traversent sans obstacle la chaîne indéfinie des choses créées; c'est un réseau transparent qui couvre le monde, et dont les fils déliés se communiquent de proche en proche aux planètes et aux étoiles. Captif en ce moment sur la terre, je m'entretiens avec le chœur des astres, qui prend part à mes joies et à mes douleurs » (*Aurélia*, *Œuvres*, Bibliothèque de la Pléiade, 1960, p. 403). Ce spiritualisme va se prolonger jusqu'à Proust.

Chez Lautréamont, le langage parvient à une crise ironique qui est une sorte de « mort du cygne » pour le langage analogique car Lautréamont est en même temps le créateur des plus fulgurantes images : « Je réserve une bonne part au sympathique emploi de la métaphore (cette figure de rhétorique rend beaucoup plus de services aux aspirations humaines vers l'infini que ne s'efforcent de se le figurer ordinairement ceux qui sont imbus de préjugés ou d'idées fausses) [1]... »

Les aspirations humaines vers l'infini deviennent, chez Robbe-Grillet, « solidarité et communion » instituées par la littérature, entre l'homme et les choses : « Dans le domaine littéraire, l'expression de cette solidarité apparaît surtout comme la recherche érigée en système, des rapports analogiques [2]. »

Pour en revenir à Kafka, en supprimant le langage analogique, la notion de niveaux différents de réalité se trouve également supprimée. Toutes les notions symboliques qui régissaient la littérature classique sont mises de côté dans le roman de Kafka. Les concepts symboliques tels que : haut et bas, extérieur et intérieur, spirituel et matériel, rêve et réalité, physique et moral, etc., toute cette structure à valeurs antinomiques s'est écroulée. Il ne reste qu'un seul monde, et de quelque côté qu'on le regarde, il ne renvoie qu'à lui-même. Il suffisait d'observer les choses, les décrire pour qu'elles deviennent suffisantes images d'elles-mêmes. On peut à la rigueur dire que la réalité observée par Kafka est sa propre métaphore, que la description chez Kafka est toujours au bord de la métamorphose, qu'elle tend toujours vers la symbolisation

1. *Les Chants de Maldoror*, Paris, Le Livre club du Libraire, 1958, p. 173.
2. « Nature, humanisme, tragédie », p. 583.

et cela au moment de son plus grand réalisme. Mais
les écrivains d'aujourd'hui, tel Robbe-Grillet, ne
veulent plus entendre pareil langage. Selon Robbe-
Grillet, il n'y a ni métaphysique, ni talmudisme, ni
yiddishisme dans le roman de Kafka. Ce sont des
descriptions réalistes de la réalité telle qu'elle est.

La description de Robbe-Grillet manifeste le
même refus de distinguer différents niveaux de
l'existence. Elle a sa source dans la croyance kaf-
kaïenne qu'une chose ne peut être autre et qu'une
chose ne peut être que ce qu'elle est. Par là encore,
la description de Robbe-Grillet fait partie du réalisme moderne dont l'évolution se caractérise par
une progressive coupure des relais de toute transcendance, par un repliement de plus en plus accen-
tué de la réalité sur elle-même, donnée « ici et
maintenant » (l'expression est employée par Robbe-
Grillet).

Si les formes du réalisme moderne dépendent de
plus en plus des perceptions concrètes, matérielles,
il est logique que la part de l'objet devienne de
plus en plus importante dans la littérature. Par
rapport à Kafka, le roman de Robbe-Grillet est une
évolution très marquée vers une représentation du
monde à partir de l'objet.

Il est peut-être paradoxal que le roman moderne,
voué à l'objet, soit aussi le roman qui a si radicalement vidé l'objet du « cœur » de l'objet, appelé
aussi « l'essence, le secret, le mystère, l'âme » des
choses, et dont l'expression a exigé symboles et
métaphores. Aussi pourrait-on caractériser la littérature contemporaine par l'impossibilité où elle se
trouve de dire « comme », d'établir des rapports
d'analogie. A ce sujet, l'ironie de Lautréamont est,
non seulement amusante, mais toute moderne :
« C'est, généralement parlant, une chose singulière

que la tendance attractive qui nous porte à recher-
cher (pour ensuite les exprimer) les ressemblances
et les différences que recèlent, dans leurs naturelles
propriétés, les objets opposés entre eux, et quelquefois les moins aptes, en apparence, à se prêter à ce
genre de combinaisons sympathiquement curieuses,
et qui, ma parole d'honneur, donnent gracieusement
au style de l'écrivain, qui se paie cette personnelle
satisfaction, l'impossible et inoubliable aspect d'un
hibou sérieux jusqu'à l'éternité [1]. »

La littérature moderne remplace l'*évocation* de la
réalité des choses par la description des phénomènes
des choses. La description des phénomènes est considérée réaliste pour deux raisons : elle se fait dans
la littérature moderne d'un point de vue rigoureusement situé, reconnaissant ainsi sa nature relative,
ne prétendant pas être autre chose qu'une réalité
relative au narrateur. Le xxe siècle étant ce qu'il
est, la relativisation du monde par le romancier est
chose naturelle. Un homme, sous le regard de qui
une substance matérielle, un objet, se métamorphose, ne tombe donc pas dans le subjectivisme
intimiste, il a relativisé l'objet par sa situation dans
le temps et dans l'espace [2].

1. *Les Chants de Maldoror*, p. 207.
2. La description phénoménologique tient compte du principe de
la relativité qui régit la matière même : « ...quel étonnement quand
on nous apprend... que, sous forme de feuille mince... l'or laisse
passer une belle lumière verte! Mais le réaliste a bien vite fait d'assi-
miler cette contradiction qualitative. Il dit tranquillement : l'or *est*
jaune par réflexion, l'or *est* vert par transparence... Et le philosophe
peut même prendre prétexte de cette *contradiction* qualitative pour
enrichir le caractère concret de l'or. . . . .
. . . .
Mais voici que depuis dix ans les découvertes se multiplient dans ce
domaine : les lames minces n'ont pas *une couleur bien définie* si précisément on ne leur donne pas une épaisseur bien régulière, une *épaisseur bien définie*... Autrement dit, la définition de la couleur est liée

L'objet, dans le roman de Robbe-Grillet, n'est pas seulement dans un rapport de description avec le narrateur. On peut parler ici non pas de la description de l'objet mais de la construction de l'objet, de la fonction constructive de l'objet. C'est peut-être ce que Robbe-Grillet voulait dire quand il affirmait que l'élément positif de sa conception du roman c'est la présence des objets. L'objet, chez Robbe-Grillet, « assemble » le personnage, lui crée, au fur et à mesure que le roman avance, cette mince durée qui caractérise le personnage de Robbe-Grillet. L'objet, ici, est constitutif d'ontologie, d'une ontologie non pas préexistante au roman mais d'une ontologie qui se construit dans le roman, et à partir d'une apparition non motivée, *ex nihilo* d'un objet. L'objet est l'amorce de l'homme. L'amorce d'une telle formation se situe, naturellement, au début du roman :

> *Quelque chose tomba, jeté du haut de la digue, et vint se poser à la surface de l'eau — un bouchon de papier, de la couleur des paquets de cigarettes ordinaires* [1].

Au commencement du roman, il y a donc un objet, un objet sur lequel est venu se poser un regard. Il n'y a pas de mythe, pas de fable, pas d'histoire, il n'y a rien qui précède le roman. Le personnage se construit à partir de cette rencontre.

à une définition très méticuleuse de l'épaisseur de la matière. La couleur d'une matière est un phénomène de l'étendue matérielle... L'activité de l'homme est ici manifeste. Cette activité instaure entre l'esprit oisif et le monde contemplé la *réalité humaine*. Le problème classique de la « réalité du monde extérieur » reçoit un troisième terme » (G. Bachelard, *Le Matérialisme rationnel*, Paris, Presses Universitaires de France, 1953, p. 195-197).

1. *Le Voyeur*, p. 16.

Le roman de Robbe-Grillet fait voir au lecteur le
départ de l'image-objet dans la conscience du personnage. Par là, il affirme, il montre la relativité
de cette image et c'est en tant qu'image relative
qu'elle devient le fondement du personnage. Le premier objet devient une sorte de pierre angulaire du
personnage. Ce bouchon de papier deviendra une
coordonnée de plus en plus précise du personnage,
de ses obsessions et, finalement, de ses actes. Mais
à ce moment du roman, cet objet n'a pas encore
une valeur de repère pour le personnage qui en
cherche un : « Mathias essaya de prendre un repère.
Dans l'angle de la cale, l'eau montait et descendait,
contre la paroi de pierre brune [1]. » « ... Contre la
paroi verticale en retrait, Mathias finit par arrêter
son choix sur un signe en forme de huit, gravé
avec assez de précision pour qu'il pût servir de
repère [2]. » L'eau monte, submerge le dessin repéré,
mais Mathias ne lâchera plus son objet. Quand il
le revoit, la « forme de huit » est sur le point de
devenir la forme de cordelettes. Dès lors, le bouchon
de papier n'est plus forme contingente : Mathias se
met à la chercher. « Mathias chercha des yeux
l'épave du paquet de cigarettes — incapable de
dire à quelle place exacte celui-ci aurait dû sur-
nager [3]. » Robbe-Grillet explique ainsi la raison pour
laquelle Mathias retrouva sans difficulté le paquet
de cigarettes : « Sa position était facile à caractériser pour Mathias, qui la voyait juste dans la même
direction que le signe en forme de huit creusé dans la
pierre [4]. » Cette dernière phrase décrit deux choses :

1. *Le Voyeur*, p. 15.
2. *Ibid.*, p. 16.
3. *Ibid.*, p. 21.
4. *Ibid.*, p. 20-21.

comment l'espace s'humanise et comment on glisse
des choses au moi.

De quelle direction spatiale s'agit-il ici? Dans
l'espace classique, on situe les objets à gauche et
à droite, au premier plan et puis au deuxième plan,
en arrière et en avant, etc. Le lecteur de roman,
comme le spectateur de tableaux classiques, ne s'arrête pas pour demander : mais toutes ses indications
se font par rapport à qui et à quoi? Le roman classique se donnait un espace anthropocentrique absolu
dans lequel le narrateur était omniprésent. Un tel
espace appartient aujourd'hui au « merveilleux »
romanesque. Robbe-Grillet donne à l'espace sa relativité, faute de quoi l'espace demeure abstrait, ou, en
termes de notions traditionnelles, universel. Faute
d'un point de départ effectif, et particulier, l'espace
est un espace de personne. Le point de départ effectif
est ici, évidemment, relatif et affectif. Il y a donc ici
un espace nouveau qui est humain sans être anthropocentrique. Il est humain parce qu'il se dessine, se
géométrise même à partir d'un regard humain [1]. On
a beaucoup reproché au roman de Robbe-Grillet
les descriptions géométriques, le comptage intermi-
nable d'objets, le récit de la table de multiplication, etc. Certains critiques, pensant sans doute
récupérer ces pages défectueuses, ces taches dans le
roman, ont attribué au comptage des montres et
des bananiers, par exemple, un caractère de « profonde » sexualité. A quel autre titre, géométrie et
chiffres entreraient-ils dans la littérature? Pourtant,
le comptage peut se faire, et se fait souvent, pour
des raisons qui n'ont rien à voir avec l'arithmétique
ni avec l'érotisme. Souvent, on se met à compter,
et à ne plus pouvoir s'arrêter de compter, pour des

---

1. Dans *Les Gommes*, Robbe-Grillet s'amusait souvent à parodier
« les gauches et les droites littéraires arbitraires ».

raisons irrationnelles, superstitieuses, par peur, pour
remplir le temps, le silence, le vide. Dans un endroit
au moins, Robbe-Grillet dit explicitement pourquoi
Mathias se met à réciter la table de multiplication :
« Afin de combler les vides [1]... » D'une façon générale, on peut dire que le comptage a toujours une
tension affective intense dans le roman de Robbe-
Grillet. Dans *La Jalousie*, le comptage des bananiers remplit beaucoup de pages. C'est peut-être
ennuyeux, mais il faudrait se méfier de l'ennui
devant les formes nouvelles, les accepter sans chercher à les récupérer par la sexualité. Ce qui est
intéressant dans ce comptage, ce n'est pas seulement cet enchevêtrement dans les chiffres, cette
incapacité de s'arrêter de compter, mais le fait que
le héros constate toujours, au bout de son comptage,
qu'il y manque quelque chose, un bananier par
exemple. On dirait que le comptage n'a été entamé
qu'à cause de cette irrégularité de la bananeraie, à
cause de cette sensation du défaut, du manque :

> *Le bord inférieur... n'est pas rectiligne... La*
> *rangée médiane, qui devrait avoir dix-huit plants*
> *s'il s'agissait d'un trapèze véritable, n'en comporte*
> *ainsi que seize [2].*

Pourquoi devrait-elle avoir dix-huit plants plutôt
que seize? Et qu'est-ce que cela peut faire pour une
conscience livrée à la jalousie qu'il y ait vingt ou
seulement dix-neuf plants dans une rangée? Et
pourtant, pendant des pages et des pages, le héros
de *La Jalousie* ne fera que cela : compter les bananiers de sa plantation.

1. *Le Voyeur*, p. 216.
2. *La Jalousie*, p. 34-35.

Il en va de même pour la quatrième, qui comprend vingt-et-un pieds, soit un de moins qu'une ligne d'ordre pair du rectangle fictif[1].

Le dénombrement est une activité de fuite. Quand le héros de *La Jalousie* ne veut pas voir, ne peut plus voir ce qui se passe dans son imagination, il est obligé de voir ce qui se présente à ses yeux; ce sont les bananiers. Son regard, dirait-on, aurait pu aussi bien fixer la grosseur ou la minceur d'un plant, être fasciné par la mollesse, la viscosité d'une branche, etc. Mais précisément, il s'agissait pour Robbe-Grillet d'empêcher une fuite aussi « organique », une fuite dans la Nature et ses consolations. Il s'agissait de faire s'égarer la conscience, *mais à la surface*. Une conscience s'endort moins facilement à la surface lisse des choses que dans la pâte des choses.

Cependant, le comptage tel que l'effectue le héros de *La Jalousie* n'est pas de l'arithmétique pure et simple. Tout ce comptage se fait par rapport à une fiction, par rapport à une régularité fictive et idéale de l'ordre des plants. C'est par rapport à un « trapèze véritable, à un rectangle fictif » qu'il y manque quelque chose. C'est par rapport à cette fiction, qu'il y a absence d'une part essentielle. Ce comptage a donc un double sens : il est masque et fuite pour la conscience; il est aussi l'image précise, *géométrique* d'un manque, d'une imperfection, d'une absence vague, non précisée, et qui ne peut se préciser, et qui hante pourtant l'être et le contamine de toute part.

On revient maintenant à l'autre aspect de la phrase : « Sa position était facile à caractériser pour Mathias, qui la voyait juste dans la même direction

1. *La Jalousie*, p. 35.

que le signe en forme de huit creusé dans la pierre »,
aspect qui concerne le mode d'expression. La relativité de l'objet est ici soulignée par la préposition
« pour ». C'est *pour* Mathias qu'il est facile de caractériser cet objet, pour lui qui, d'ailleurs, ne l'aurait
pas trouvé s'il ne l'avait pas cherché. Et si cigarettes
et forme de huit se trouvent liées, c'est Mathias
qui les voit ensemble. Cette description de phénomènes a ceci de particulier que le narrateur n'explique rien, qu'il n'analyse rien, qu'il ne commente
rien, qu'il laisse parler les choses. Le langage dis-
cursif est remplacé par un langage « ostensif », la
présence des mots est remplacée par la présence des
objets.

Dans *La Jalousie*, aussi, le temps psychique est
le produit de la récurrence de l'habituelle *scène
d'objets* sur la terrasse. La première image n'en est
guère plus qu'une perception objective :

> *Sur la terrasse, Franck se laisse tomber dans un
> des fauteuils bas... Ce sont des fauteuils très simples,
> en bois* [1]...

Comme Mathias, le héros de *La Jalousie* ordonne
l'espace selon son propre point de vue. Aussi
constate-t-il :

> *C'est elle-même qui a disposé les fauteuils... Celui
> qu'elle a désigné à Franck et le sien se trouvent côte
> à côte* [2]...

A la prochaine vision, les fauteuils sont devenus :
« leurs deux mêmes fauteuils [3] ». Ensuite, les fauteuils deviennent des accoudoirs aux quatre mains
et, à partir de là, on commence à mesurer l'espace

1. *La Jalousie*, p. 17-18.
2. *Ibid.*, p. 19.
3. *Ibid.*, p. 27.

en centimètres entre la main de A... et celle de
Franck. Après de multiples altérations, qui constituent un processus temporel psychique, on en arrive
à cette vision :

> *Deux des quatre mains portent au même doigt le
> même anneau d'or, large et plat* [1]...

Rien de plus efficace qu'un tel objet : on ne
comprend que trop ce que cela veut dire : un homme
dont le regard s'arrête sur l'anneau de sa propre
femme et de celui d'un autre homme. L'anneau est
un symbole objectif à effet immédiat, trop immédiat,
et c'est ce qu'on peut reprocher au choix de cet
objet. Mais c'est le mari, et non pas Robbe-Grillet
qui voit, et pour qui *signifie* cet objet. C'est aussi
un exemple du langage condamné à signifier. Il
peut donner une idée des problèmes et des dangers
rencontrés par un écrivain qui cherche un langage
qui ne soit pas signification *a priori*. Un anneau
d'or, c'est toute une mythologie. L'anneau, aux yeux
du mari, lie A... à l'autre. Parti d'un fauteuil, on
parvient, à travers une collection d'objets, à un
paroxysme passionnel.

Dans le *Labyrinthe*, l'objet n'est plus destiné à
livrer l'histoire ou le contenu psychique comme dans
Le Voyeur et dans *La Jalousie*. Il pose ici des rapports. L'histoire est confiée à la parole. Elle est
racontée d'une manière, somme toute, traditionnelle : la durée de la marche du soldat est indiquée
par des adverbes temporels rationnels : « Le soldat attend *toujours*. Il rencontre le gamin *à nouveau* », etc. Le soldat arrive dans une ville qu'il ne
connaît pas, cherche le destinataire, tourne en rond,
ne le trouve pas, est blessé et meurt avant de l'avoir

---

1. *La Jalousie*, p. 190.

trouvé. Il y a donc histoire et elle est donnée sous
forme de narration progressive. Ce n'est donc pas
sous forme d'objets que le temps est suggéré. Les
objets servent ici à créer, à suggérer plutôt, des
rapports et, *dans la même mesure*, à les détruire.

L'objet central est le paquet porté par le soldat.
Ce paquet deviendra une boîte, ensuite boîte à
chaussures. Elle demeurera boîte à chaussures jusqu'à la fin du roman, moment où la véritable nature
de la boîte est révélée :

> *La boîte n'est pas un emballage de chaussures,*
> *c'est une boîte à biscuits, de dimensions analogues,*
> *mais en fer-blanc* [1].

Tout l'intérêt de cette boîte est dans le fait qu'à
la fin du roman on apprend qu'après tout ce n'était
pas une boîte à chaussures mais une boîte à bis-
cuits... Et cependant, jamais récipient ne fut rempli
de tant de contenus divers. (Il paraît que certains
y ont mis l'âme du soldat portée vers Dieu.)
Une interprétation religieuse n'est pas entièrement
incompréhensible et, d'autant plus, qu'il y a dans
ce roman un certain nombre d'objets *imprudents* [2]
qui peuvent précipiter le lecteur dans un certain
contexte chrétien. Pourtant, l'ironie des dernières
pages, l'humour même avec lequel est traitée cette
boîte infirment sérieusement une interprétation de
transcendance spirituelle.

De la page 24 à la page 29, Robbe-Grillet décrit
un tableau qui est accroché au-dessus de la commode. Ce tableau est intitulé *La Défaite de Reichen-*
fels. Dans ce tableau, il y a trois soldats, dont un
est représenté de face. Il y a aussi, dans ce tableau,
un enfant. Cet enfant « ferme ses deux bras autour

---

1. *Dans le labyrinthe*, p. 215.
2. Tel « le vin et le pain » que sert la jeune femme au soldat.

d'une grosse boîte, quelque chose comme une boîte à chaussures [1] ». Vers la fin du roman, c'est de nouveau le gamin, *un* gamin qui porte la boîte : « Le gamin est assis par terre... il tient dans ses bras, refermés contre la poitrine, la boîte enveloppée de papier brun [2]. »

Soldat et gamin sont sortis d'un tableau qui renvoyait à une légende. Au long du roman, c'est le soldat qui est porteur de la boîte. Après sa mort, on retrouve l'image de l'enfant avec la boîte. Il y a donc mouvements circulaires, piétinements des personnages au lieu d'un mouvement véritable, d'un progrès dans le temps. Cette équivalence des choses, cette « mêmeté » des personnages implique la perte de l'individu, de l'identité de la personne.

On voit que cette sensation du labyrinthe est provoquée, non pas par la représentation traditionnelle de couloirs obscurs et d'escaliers interminables, mais par l'ordonnance même du roman qui est telle qu'il devient impossible de s'y retrouver tant du point de vue temporel que du point de vue spatial. Tout y devient brouillé. Il n'y a pas de doute que c'est exactement ce que voulait faire l'auteur. Le roman est construit de telle façon qu'à chaque pas, à chaque mot, tout se contredit et se brouille. Le narrateur lui-même parle d'ailleurs fréquemment de « vue brouillée [3] », comme si ces termes étaient destinés à guider le lecteur, à lui conseiller de consentir à se perdre. « Viennent ensuite des lignes incertaines, entrecroisées, traces sans doute de papiers divers, dont les déplacements successifs ont brouillé la figure, très apparente par endroits, ou au contraire voilée de grisaille, et ailleurs plus qu'à demi effa-

1. *Dans le labyrinthe*, p. 26.
2. *Ibid.*, p. 202.
3. *Ibid.*, p. 15.

cée, comme par un coup de chiffon [1]. » La dernière page revient à l'image du brouillé : « ... mais
la vue se brouille à vouloir en préciser les
contours [2]... »

Dans le *Labyrinthe*, l'objet-motif du roman a
atteint des proportions telles qu'à maints moments
on ne sait plus si on est dans la vie ou dans le tableau.
C'est vers l'objet-tableau qu'il faut se tourner si l'on
veut comprendre ce qui se passe dans la vie du
soldat. Le tableau devient face visible du héros.
Mais le rapport entre tableau et personnage n'est
pas celui de la réflexion et des valeurs. Le tableau
est ici un miroir d'une telle nature que, sans lui, il
n'y a pas de personnage. Le narrateur mélange,
interchange, complète, brouille soldat et soldat du
tableau de telle manière que, *pour la conscience*, la
distinction cesse de se faire. Une pareille relation,
aussi concertée entre objet et personnage, ne s'est
peut-être jamais présentée dans la littérature. Il y
a eu des romans où le personnage se construit à
partir de ses objets. Tel, par exemple, le roman
de Henry James, *Les Dépouilles de Poynton*, où le
contenu de la maison, les « œuvres d'art [3] », les
objets résument le personnage. Mais les objets
jouent ici un rôle de valeur : ce ne sont pas n'importe
quels objets mais des « œuvres d'art », « des belles
choses anciennes [4] ». « Les plus beaux objets, ici,
vous le savez, sont ceux que votre père et moi avons
réunis, les objets pour lesquels nous avons travaillé,
attendu et souffert... Il y a des objets dans la maison pour lesquels nous sommes presque morts de

1. *Dans le labyrinthe*, p. 13-14.
2. *Ibid.*, p. 220.
3. Henry James, *Les Dépouilles de Poynton*, Paris, Calmann-Lévy,
1954, p. 36.
4. *Ibid.*, p. 25.

faim. Ils étaient notre religion, notre vie, ils étaient
nous-mêmes [1]. » Il faut préciser que de tous les
objets énumérés dans le roman, *aucun* n'est décrit,
le regard ne s'arrête sur aucun. Ici non plus les
objets n'ont aucune fonction existentielle. Ils ont
tous une valeur : ce sont des objets d'art. Ils sont
donc le centre du roman en tant qu'objet-valeur.
Ces personnages sont tout entiers dans la valeur
artistico-bourgeoise de ces objets.

Tout autre est le rapport entre objet et personnage dans le roman de Robbe-Grillet. Sa première
caractéristique c'est qu'il est non représentatif. (Il
n'est pas, ainsi, sans analogie avec les formes non
représentatives dans un tableau moderne.) Il ne
renvoie à rien qu'à son phénomène immédiat :
l'objet est dépourvu de tout au-delà de l'objet. Ne
symbolisant donc aucune valeur sociale, matérielle,
esthétique, religieuse, on serait prêt à penser qu'enfin la littérature va prendre le parti des objets. Il
n'en est rien et il ne peut pas en être ainsi car la
littérature ne peut se faire qu'à partir d'un homme.

Il est vrai que Robbe-Grillet draine l'objet de
toutes ces valeurs, qu'il le vide radicalement. Mais
il ne fait pas seulement cela. Robbe-Grillet procède
également à une désubstantialisation et déqualifi-
cation systématique de l'objet. L'intentionnalité
têtue, la stylisation concertée avec laquelle il procède pour vider les choses, *attire l'attention* sur
l'homme. Cet entêtement médité détourne le lecteur de l'objet et le dirige sur l'homme, sur la vision
qu'il se fait du monde, à partir de l'objet.

Chacun de ces objets s'insère dans la composition
du roman comme un motif-objectif du personnage
et de sa relation au monde :

1. Henry James, *Les Dépouilles de Poynton*, Paris, Calmann-Lévy,
1954, p. 25-26.

> *Une mouette grise, venant de l'arrière à une*
> *vitesse à peine supérieure, passa lentement à bâbord,*
> *devant la jetée, planant sans faire le plus impercep-*
> *tible mouvement à la hauteur de la passerelle, la tête*
> *inclinée sur le côté pour épier d'un œil vers le bas —*
> *un œil rond, inexpressif, insensible* [1].

On n'a pas besoin de préciser que ce passage vient
du *Voyeur*. L'objet-thème du roman est aussi distinct qu'un motif d'une partition musicale. Les
récurrences ultérieures le préciseront encore en y
ajoutant le fait que cette mouette se présente toujours de *profil*. Il ne s'agit pas de cette vue de profil
qui implique une totalité, mais d'une vue de profil
dont le but est de supprimer toute notion d'ensemble et d'intégrité; le peu qui est livré au regard
est « inexpressif, insensible ». Dans *Le Voyeur*
comme dans *La Jalousie*, les motifs objectifs du
roman sont des créatures vivantes, ce qui va souli-
gner d'une manière dramatique la séparation de
l'homme et de la nature, de l'homme et de la matière
vivante. Cette mouette, dirait-on, a été aplatie pour
n'être qu'une surface pour le regard de l'homme, un
oiseau-plaque dépourvu de chair et de sang. Ce
mouvement vers la surface est répété par l'image
d'un animal qui se présente ainsi :

> *Entre cette extrémité et les herbes rases bordant*
> *la route, était écrasé le cadavre d'une petite gre-*
> *nouille, cuisses ouvertes, bras en croix, formant sur*
> *la poussière une tache à peine plus grise. Le corps*
> *avait perdu toute épaisseur, comme s'il n'était resté*
> *là que la peau, desséchée et dure, invulnérable*
> *désormais, collant au sol de façon aussi étroite que*
> *l'aurait fait l'ombre d'un animal* [2]...

1. *Le Voyeur*, p. 12.
2. *Ibid.*, p. 91.

La grenouille, comme la mouette, ont été vidées de toutes qualités vivantes, de toute substance. *L'Homme sans qualités* de Musil est ici dépassé vers un univers sans qualités, un univers où les objets sont également sans qualités. Dans *La Jalousie*, le motif principal est la scutigère. Elle est un symbole objectif de l'obsession du héros. A chaque fois qu'elle réapparaît, le lecteur sait immédiatement à quoi s'en tenir. Les altérations multiples de ce mille-pattes, les variations que le jaloux lui fait subir à chacune de ses récurrences constituent non pas une progression du roman, il n'y en a point, mais la mobilité du roman. La scutigère sert également à objectiver la nature particulière de cette jalousie et, par là, elle devient aussi image du roman tout entier :

> *L'image du mille-pattes écrasé se dessine alors, non pas intégrale, mais composée de fragments assez précis pour ne laisser aucun doute. Plusieurs des articles du corps ou des appendices ont imprimé là leurs contours, sans bavure, et demeurent reproduits avec une fidélité de planche anatomique* [1]...

Ce mille-pattes, toujours présent dans le roman, dont la description ne peut s'interrompre pour la bonne raison qu'il *est* la jalousie, ce mille-pattes n'apparaît pas effectivement dans le roman. Tout au début du roman, quand la première mention en est faite, c'est en termes du passé : « une tache noirâtre marque l'emplacement du mille-pattes écrasé la semaine dernière, au début du mois, le mois précédent peut-être, ou plus tard [2] ».

En refusant toute notion du temps au profit du présent, c'est-à-dire de la présence dans l'espace, on

1. *La Jalousie*, p. 56.
2. *Ibid.*, p. 27.

s'attendrait à une présentation plus vivante, plus riche en matière, plus substantielle des choses. Or, il n'en est point ainsi dans le roman de Robbe-Grillet, et là est un de ses paradoxes. Le temps, se disait-on, a été escamoté au profit de l'espace concret. On découvre à présent que l'expérience moderne de l'espace est une expérience « des surfaces, des plaques, des plans, des planches, de l'écran ». C'est un monde où il y a toujours des premiers plans mais où il n'y a pas de fond. En supprimant le temps, en écrivant le roman sous le signe, tant de fois répété et rappelé au lecteur, sous le signe du « maintenant », Robbe-Grillet réussit à donner une présence vraiment envoûtante à chaque image. Cette suppression de la notion du temps est d'ailleurs parfaitement raisonnable puisqu'une très intense, une violente expérience du passé, n'est pas pour la conscience *au passé*, elle apparaît toujours comme si elle avait lieu « maintenant ». Mais la permanence de ce phénomène chez Robbe-Grillet, le fait que tous ses personnages sont sur le mode du présent, dans le maintenant, implique une vision générale du monde et pas un intérêt spécial porté à la nature de l'image psychique d'ordre pathologique. Or, ce temps grammatical du présent, dans lequel les personnages de Robbe-Grillet sont enfermés, est caractéristique de l'abolition des distances intérieures. Distances dont l'homme est conscient soit entre passé et présent, soit entre l'imaginaire et le réel, soit entre le moi et le non-moi, le dehors et le dedans, etc. Ces distances constituaient le champ de la conscience, de la personnalité. On voit comment la suppression du temps, c'est-à-dire des distances intérieures, correspond, chez Robbe-Grillet, à l'aplatissement de l'espace, à l'espace sans fond. Ce qui est frappant, c'est que cette scutigère ne

diffère pas de la représentation de la mouette et de
la grenouille dans *Le Voyeur*. Le mille-pattes n'est
pas intégral, mais représenté selon quelques frag-
ments disloqués. Si le dessin qui ranime chaque fois
la jalousie est indélébile, il « ne conserve aucun
relief, aucune épaisseur de souillure séchée qui se
détacherait sous l'ongle. Il se présente plutôt comme
une encre brune imprégnant la couche superficielle
de l'enduit [1] ».

Dans ce roman, l'homme n'existe pas comme une
spiritualité indépendante du monde matériel. S'il
se met à penser, à rêver, à imaginer, c'est avec les
objets de ce que Bachelard appelle « notre chosier [2] ». Les rêveries, dit-il, ont besoin d'objets
pour être, pour s'y attacher. Robbe-Grillet affirme
quelque chose d'analogue : « Je crois que s'il existe
des sentiments, des mouvements psychologiques,
une métaphysique, une morale même, tout cela est
d'abord porté par des objets [3]. » Si « tout cela » est
porté par des objets, l'objet sera d'une grande
importance.

On a vu, dans le chapitre sur le « creux dans la
réalité », l'objet fonctionnant comme image de ce
vide à l'intérieur des choses. Cette image est la plus
typique et la plus nette de l'objet métaphysique.
La présentation de la mouette et de la scutigère
rejoint les images du vide par le rôle important
qu'elles assument : présenter une expérience vécue.
Ce que scutigère, grenouille et mouette ont en commun, c'est qu'elles apparaissent toutes comme des

1. *La Jalousie*, p. 129.
2. « Notre chosier nous est précieux, oniriquement précieux puisqu'il nous donne les bienfaits des *rêveries attachées* » (*La Poétique de
la rêverie*, p. 143).
3. Débat intitulé : « Révolution dans le roman? » (*Le Figaro
littéraire*, 29 mars 1958).

corps aplatis, des corps sans épaisseur, des corps-surface.

Rien d'aussi inexact que la déclaration de Michel Butor que « Robbe-Grillet se rattache beaucoup moins aux écrivains du XXᵉ siècle qu'à ceux du XIXᵉ [1] ». « Il est beaucoup plus proche de Zola, continue Butor, que de Proust [2]. » C'est au naturalisme que Butor veut faire penser. L'objet, chez Zola, est pourtant extraordinairement différent. C'est tout un programme, toute une « histoire naturelle et sociale ». L'objet, chez Zola, s'effondre en tant qu'objet sous le poids excessif dont il est chargé :

> Et, lentement, de ses yeux voilés de larmes, elle faisait le tour de la misérable chambre garnie, meublée d'une commode de noyer dont un tiroir manquait, de trois chaises de paille et d'une petite table graisseuse, sur laquelle traînait un pot à eau ébréché... La malle de Gervaise et de Lantier, grande ouverte dans un coin, montrait ses flancs vides, un vieux chapeau d'homme tout au fond, enfoui sous des chemises et des chaussettes sales; tandis que le long des murs, sur le dossier des meubles, pendaient un châle troué, un pantalon mangé par la boue, les dernières nippes dont les marchands d'habits ne voulaient pas [3].

Il est vrai que Zola consacre plus de pages à la description d'objets que les autres écrivains de son siècle. Mais c'est un objet qui n'existe pas en dehors de l'étiquette qui y est collée, une étiquette sociale, économique, morale, voire « scientifique ». L'objet naturaliste schématise une idée, des principes scientifiques même, selon lesquels et la nature et la

1. « Révolution dans le roman? » (*Le Figaro littéraire*, 29 mars 1958).
2. *Ibid.*
3. *L'Assommoir*, Paris, Le Livre de Poche, 1962, p. 9-10.

société des hommes sont faites. Il n'entre pas dans
le roman sans son adjectif idéologique. La chambre
est parce qu'elle est misérable, le pot parce qu'ébré-
ché, un châle parce que troué, bref, les objets sont
là pour illustrer les lois qui régissent les milieux
sociaux. L'objet, chez Zola, est donc baigné d'idéologie, ce qui est l'opposé extrême de l'objet chez
Robbe-Grillet.

Jacques Howlett a très justement remarqué qu'il
« n'y a pas une expérience totale de l'objet chez
Alain Robbe-Grillet [1] ». Il est un des rares critiques
à parler de la nature même de l'objet chez Robbe-
Grillet. Le paradoxe — et là est le caractère moderne
de cet objet — est que tout en consacrant la majeure
partie de ses pages à la description de l'objet, il
n'y a pas de véritable expérience de l'objet dans
ce roman. Yves Bonnefoy a noté l'un des phénomènes typiques de notre époque en disant que :
« Jamais autant que dans notre siècle l'homme n'a
été séparé de la substance des choses [2]. » Mais, il
faut ajouter immédiatement que le roman de Robbe-
Grillet ne prétend pas en retrouver l'accès. Bien au
contraire. C'est dans cette méconnaissance — ou
refus — des substances que le roman de Robbe-
Grillet est réaliste, c'est-à-dire qu'il est une mise
en forme de la vie de l'homme moderne.

La naïveté de Robbe-Grillet consistait à dire que
« l'homme voit les choses et il s'aperçoit, maintenant, qu'il peut échapper au pacte métaphysique
que d'autres avaient conclu pour lui, jadis, et qu'*il
peut échapper du même coup à l'asservissement et
à la peur* [3] ». En coupant les liens entre l'homme et

1. « Notes sur l'objet dans le roman » (*Esprit*, juillet-août 1958,
p. 69).
2. Voir première page de ce chapitre.
3. « Nature, humanisme, tragédie », p. 588-589 (souligné par nous).

les choses, en poussant plus loin la séparation de
l'homme et de la nature, Robbe-Grillet s'est montré
observateur réaliste de la société dans laquelle le
roman est né; en prétendant guérir ainsi l'homme
de « l'asservissement et de la peur », Robbe-Grillet
a fait preuve d'une intention naïve et d'autant plus
surprenante que dans ses essais théoriques, et implicitement dans ses romans, Robbe-Grillet s'est fait
le défenseur d'une littérature sans engagement,
d'une littérature sans message social ou humaniste.

Dans son essai « Nature, humanisme, tragédie »,
le plus important de ses essais et sans aucun doute
un document de conséquence pour l'histoire du
roman, Robbe-Grillet avait déclaré que « la *tragédie* peut être définie... comme récupération de
la distance, entre l'homme et les choses [1]... ». Le
lyrisme romantique pose une métaphysique de la
communion entre le monde, les choses et l'homme.
L'attitude plus moderne consistait à constater avec
angoisse et révolte l'absence de liens entre l'homme
et ce que Camus appelait son « décor ». Cette absence
de solidarité constatée, la littérature, selon Robbe-
Grillet, procédait à sublimer en tragédie de l'absurde la condition de l'homme. Robbe-Grillet se
placerait donc dans cette nouvelle littérature qui
refuse à la fois tout accord, toute communion entre
les choses et l'homme, et toute récupération de la
non-communion entre eux. Un tel parti pris, qu'il
soit d'ordre psychologique ou métaphysique, conduit
logiquement à la description des choses telle, précisément, qu'on la trouve dans son roman. Théories
et romans ne sont pas en désaccord à cet égard.
Seul, l'effort que fait Robbe-Grillet pour justifier
cette vision de l'objet est naïf. Ainsi, quand il affirme

---

1. « Nature, humanisme, tragédie », p. 589.

que la suppression de la distance comme distance
douloureuse serait un « remède à notre malheur [1] »,
il paraît recommander une psychophilosophie de
la fuite et de l'inconscience. Ceci ne concerne en
rien son roman qui ne contient aucune allusion à
pareille moralité. Il se borne à une neutre et surtout
à une non-solidaire description. Cette non-solidarité
enlève au mot son adjectif. Or, c'est l'adjectif qua-
lificatif qui, dans la littérature traditionnelle, reliait
les mots, les ordonnait dans un « continuum »
humanisé. Dans la description de Robbe-Grillet,
l'objet se présente comme si la lettre A... était sans
rapport avec la lettre B..., rapport qui deviendrait
la mesure de la séparation et de la distance. L'objet,
chez Robbe-Grillet, est toujours un A inconscient,
pour ainsi dire, de B, de l'éclatement vers B. Ainsi
parvient-on à un monde discontinu et isolé, à un
monde coupé de tous relais.

Il faut lire un paragraphe de Proust et puis un
paragraphe de Robbe-Grillet pour bien mesurer le
changement intervenu et la direction que prend le
roman. Dans le passage qui suit, on verra que pour
Proust les choses en tant que surfaces sont « plates
et vides » à moins, à moins qu'on leur imagine,
qu'on leur donne « une sorte particulière d'existence » :

> Sur la place, le soir posait aux toits en poudrière
> du château de petits nuages roses assortis à la cou-
> leur des briques et achevait le raccord en adoucissant
> celles-ci d'un reflet...
> Je gardais, dans mon logis, la même plénitude
> de sensation que j'avais eue dehors. Elle bombait de

1. « Nature, humanisme, tragédie », p. 591.

*telle façon l'apparence de surfaces qui nous semblent
si souvent plates et vides, la flamme jaune du feu, le
papier gros bleu du ciel sur lequel le soir avait
brouillonné, comme un collégien, les tire-bouchons
d'un crayonnage rose, le tapis à dessin singulier de
la table ronde... ces choses ont continué à me sembler
riches de toute une sorte particulière d'existence qu'il
me semble que je saurais extraire d'elles s'il m'était
donné de les retrouver [1].*

Ce texte est particulièrement intéressant pour une
étude de la description de Robbe-Grillet puisqu'il
parle clairement du rapport proustien entre surface
des choses et la chose *même*. Proust ne mentionne,
si l'on veut, la lettre A de l'objet que pour la faire
résonner immédiatement par toute la gamme de
l'alphabet et de ses possibilités spirituelles. Ce beau
texte de Proust fait ressortir clairement l'idée que,
par rapport à Proust, l'objet chez Robbe-Grillet est
dépouillé de toute sa virtualité spirituelle comme,
par rapport à *La Nausée* de Sartre, il est dépouillé
de son extraordinaire richesse viscérale.

Dans *L'Étranger*, Camus a, par moments, pratiqué une discipline du langage qui annonce celle
de Robbe-Grillet. C'est pourquoi ce roman est bien
moins anthropomorphique que *La Nausée* de Sartre :
« J'ai fermé mes fenêtres et en revenant j'ai vu
dans la glace un bout de table où ma lampe à alcool
voisinait avec des morceaux de pain [2]. » Des phrases
de ce genre sont, d'un certain point de vue, de
grandes réussites. Qu'un homme ait vu dans la glace
un bout de table où sa lampe à alcool voisinait
avec des morceaux de pain, qu'il ait vu tout cela
après avoir fermé ses fenêtres, quel intérêt, dirait-on,

1. *A la recherche du temps perdu*, II, 95-96.
2. *L'Étranger*, Paris, Gallimard, 1957, p. 38.

cela peut-il avoir? Cette phrase, telle qu'elle est, anticipe pourtant le nouveau roman.

Cependant, dans le même roman de Camus, on trouve des phrases comme celle-ci : « A chaque épée de lumière jaillie du sable... mes mâchoires se crispaient [1]. » Qu'on tâche de voir ce qu'implique pareille phrase! Est-ce toujours un roman ou, déjà, un conte de fées? Comment « une épée de lumière peut-elle jaillir du sable »? A quel autel de « poésie » Camus se sentait-il obligé de sacrifier? Mais pareil anthropomorphisme poétique est rare dans ce roman qui, dans sa tendance principale, est une représentation spatiale de l'homme. Une représentation spatiale a ceci d'anti-humaniste qu'elle supprime le temps, forme de toute sensibilité, de conscience de la conscience. Habitués que nous sommes aux romans modernes français, nous savons qu'une conscience malheureuse est une conscience qui est consciente d'être malheureuse. Les héros de Sartre, de Camus (à l'exception de *L'Étranger*) et de Malraux vivent en pleine conscience de leur malheur. Cette conscience de la conscience malheureuse est un élément inséparable du héros romanesque des trois romanciers. Or, ce qu'il y a de nouveau chez le personnage de Robbe-Grillet, c'est qu'il est en tant que conscience (malheureuse, si l'on veut), mais non pas en tant que conscience d'être conscience malheureuse. Et, du coup, une dimension romanesque capitale constitutive du personnage d'hier manque :

> Le bois de la balustrade est lisse au toucher, lorsque les doigts suivent le sens des veines et des petites fentes longitudinales. Une zone écailleuse vient ensuite; puis c'est de nouveau une surface

1. *L'Étranger*, p. 87.

*unie, mais sans lignes d'orientation cette fois, et
pointillée de place en place par des aspérités légères
de la peinture.*

    *En plein jour, l'opposition des deux couleurs grises
— celle du bois nu et celle, un peu plus claire, de la
peinture qui subsiste — dessine des figures compli-
quées aux contours anguleux, presque en dents de
scie. Sur le dessus de la barre d'appui, il n'y a plus
que des îlots épars, en saillie, formés par les derniers
restes de peinture. Sur les balustres, au contraire, ce
sont les régions dépeintes, beaucoup plus réduites et
généralement situées vers le milieu de la hauteur,
qui constituent les taches, en creux, où les doigts
reconnaissent le fendillement vertical du bois. A la
limite des plaques, de nouvelles écailles de peinture
se laissent aisément enlever; il suffit de glisser l'ongle
sous le bord qui se décolle et de forcer, en pliant la
phalange; la résistance est à peine sensible* [1].

Ce passage servira d'exemple à deux aspects
caractéristiques de l'objet dans le roman de Robbe-
Grillet : sa fonction psychologique par rapport au
personnage et l'expérience de l'objet en tant qu'objet. Cette description a été choisie parce qu'elle se
fait, en grande partie, à travers le sens du toucher
et non plus uniquement par le regard.

La fonction psychologique de l'objet, chez Robbe-
Grillet, est de capturer une émotion en fuite, de la
divertir en l'objectivant, en la rejetant sur l'objet.
Ce recours à l'objet a lieu dans des moments de
malaise affectif qui se masque et se pétrifie par la
fuite hors de soi, dans l'objet. Franck et A... sont
assis l'un près de l'autre. Comment justifier la position du fauteuil du mari, laissé bien en avant, près
de la balustrade comme pour bien voir la vallée
quand il n'y a plus de vue : il fait nuit. Ne pouvant

1. *La Jalousie*, p. 28-29.

voir rien en avant et ne tournant pas la tête en
arrière, le mari est livré à la jalousie. Mais peut-on
encore parler de « jalousie »? Ne serait-il pas plus
exact de dire que le mari est alors livré à l'objet?
Le personnage est collé à l'objet : il n'y a aucune
distance intérieure entre lui et l'objet, aucune marge
qui lui permette de retourner sur soi, bref, il n'y a
aucune marge intérieure où pourrait se placer un
« je », un « cogito ».

Au lieu de conscience de la jalousie, il y a donc
conscience de l'objet. Là est l'originalité du roman,
là aussi sa portée étrange et inquiétante. Là aussi est
la raison pour laquelle on reproche à Robbe-Grillet
d'être inhumain et chosiste. Mais c'est confondre la
vision réaliste que se fait un écrivain de son époque,
confondre la mise en forme de ses observations avec
l'homme.

La conscience qui s'aliène dans l'objet, qui se
quitte pour l'objet moderne, a ceci de décevant
qu'elle se délaisse pour rien. Car ce ne sont pas les
qualités, la matière (ce qui dans *La Nausée* était
encore la « personnalité » de l'objet), que le personnage de Robbe-Grillet cherche, c'est la surface
des objets. Ce qu'il constate, et cela non seulement
en regardant mais même en touchant un objet,
c'est le caractère *lisse* du bois, le sens *géométrique*
de ses veines, le fendillement vertical du bois, le
fait que la surface est *unie*. L'adjectif « écailleux »
est déjà un mouvement scandaleux vers l'intérieur
de l'objet, toutefois ce trouble est étouffé par la
neutralité du mot « zone » qu'il qualifie. On peut
donc dire que, non seulement la conscience est
aliénée dans l'objet, mais encore que l'objet lui-
même est aliéné de ses qualités.

L'objet, tel qu'il apparaît dans le roman de Robbe-
Grillet, est sans doute tel qu'il le voulait. Si son

grand souci portait à ce qu'il n'y ait pas de complicité entre hommes et choses, à couper tout « pont
d'âme » entre eux, le contact du personnage avec
l'objet *devait* se limiter à un contact de surface.
D'ailleurs, le caractère même de l'objet tel qu'il pré-
domine dans la vie technologique moderne, impose
au roman, qui se veut réaliste, de nouveaux rapports entre hommes et choses. Aussi, l'écrivain traditionnel qui empruntait l'objet à la nature, était
bien plus tenté par une description anthropomorphique que ne peut l'être celui qui décrit un objet
de la civilisation technicienne.

Le roman de Robbe-Grillet n'échappe pourtant
pas à un agencement symbolique des objets, à une
ordonnance de *complicité* entre personnage et objet.
Quand Mathias a compris que les habitants de l'île
n'allaient pas le faire arrêter, qu'il était, par conséquent, innocent, voici comment se métamorphose
le monde :

> De l'autre côté du monument aux morts, il voit
> le panneau-réclame du cinéma recouvert d'un papier
> entièrement blanc, collé sur toute la surface du bois.
> Le garagiste sort à cet instant de son bureau de tabac,
> muni d'une petite bouteille et d'un pinceau fin.
> Mathias lui demande ce qu'est devenue l'affiche
> bariolée de la veille : celle-ci, répond le garagiste, ne
> correspondait pas au film dont il a reçu en même
> temps les bobines; le distributeur s'est trompé dans
> son envoi. Il va donc falloir annoncer le programme
> de dimanche prochain par une simple inscription à
> l'encre [1].

Peut-on parler ici d'une relation purement « extérieure et superficielle » entre l'objet et le personnage? L'objet est devenu symbole. Il est chargé de

1. *Le Voyeur*, p. 250.

symboliser une situation. Que cet objet n'est ni
provisoire ni accidentel mais, au contraire, haute-
ment intentionnel, sélectionné pour sa représentation symbolique, le lecteur ne peut le nier. Et, certes,
Robbe-Grillet a le droit d'ordonner la réalité selon
l'image qu'il s'en fait. Mais une telle configuration
des objets n'implique-t-elle pas une complicité nouvelle entre hommes et choses ?

CONCLUSION

Au cours d'un récent débat [1], quelqu'un a demandé à Robbe-Grillet s'il avait l'intention de faire table rase de toute la littérature du passé. La vivacité avec laquelle Robbe-Grillet s'est écrié : « Oh ciel, non! » pouvait surprendre les lecteurs de ses premiers essais théoriques. « Nature, humanisme, tragédie », et « Une voie pour le roman futur » manifestaient une intransigeante volonté de rupture avec les formes du roman traditionnel et la culture qu'il représente. Dans les entretiens et les articles plus récents, Robbe-Grillet se montre moins combatif et moins révolutionnaire. Aussi, l'entend-on souvent dire que loin d'être une création spontanée, son roman est la continuation d'une certaine littérature moderne. La littérature à laquelle se rattache le roman de Robbe-Grillet est celle représentée par Joyce, Kafka, Faulkner, Beckett. Ce qui est commun à tous ces romans, c'est une crise du réel. Comme le héros de Musil, le personnage romanesque d'aujourd'hui est incapable de conserver le sens du réel. « ...on entrevoit... comment quelqu'un qui, fût-ce par rapport à lui-même, ne se targue d'aucun sens du réel, peut s'apparaître un jour, à l'improviste, en homme sans qualités [2] ». La dissolution

---

1. « Robbe-Grillet : objectivité ou psychopathologie », Maison des Centraux, Paris, 19 février 1963.
2. *L'Homme sans qualités*, p. 20.

de la réalité a trouvé son expression la plus récente
dans le roman de Robbe-Grillet.

Au centre du monde de Robbe-Grillet, il n'y a pas
quelque chose; il y a absence de quelque chose. Le
roman devient, ainsi, l'histoire d'une absence, d'un
« creux au cœur de la réalité ». Le creux au cœur de
la réalité n'est pas une simple métaphore. C'est un
fait reflété dans d'autres formes de l'art actuel. C'est
parce qu'il y a manque d'un centre — centre qui
pourrait être une idée, une histoire, une valeur, un
point de vue définitif, une morale ou une croyance
univoques — qu'on est incapable de dire brève-
ment ce dont il s'agit exactement dans un roman
contemporain, aussi bien, d'ailleurs, que dans certains films d'avant-garde [1]. Et c'est parce que
l'œuvre actuelle ne se laisse pas résumer en une
phrase, en une idée, c'est parce qu'elle ne se laisse
pas « raconter », qu'on se trouve obligé d'y penser
en termes des phénomènes qui s'y organisent, en
termes de répétitions formelles. Et c'est aussi pourquoi, devant les œuvres de l'art moderne, on pense
en termes de *formes analogiques* plutôt qu'en termes
d'idées qu'elles auraient en commun.

L'expérience de l'absence a trouvé une forme
d'expression nouvelle, vraiment adéquate, et toute
concrète, dans le roman de Robbe-Grillet : le creux,
dans le récit de Robbe-Grillet, n'est autre que le
creux dans la réalité. Ce vide — et là est son caractère original — ne s'exprime pas par la parole, mais
par une certaine structure du roman. Ainsi, ce qui est
le thème majeur, l'obsession du roman, est commu-
niqué non pas par un langage qui signifie, mais
par une forme récurrente, obsessionnelle. Ce primat

---

1. Tels que : *L'Année dernière à Marienbad*, *Les Abysses*, *L'Immortelle*, *L'Éclipse*, etc.

de la forme sur la signification est un phénomène
qui caractérise l'art moderne. « Ce que les critiques
appellent " contenu " et qui relève de la sociologie,
de la morale ou de la politique, n'est pour le romancier qu'un matériau amorphe et sans importance
par lui-même, qu'il s'agit seulement de choisir au
mieux en vue de réaliser la forme conçue. C'est toujours dans cette forme que réside l'apport spontané
du créateur, en même temps que l'objet de sa
recherche. C'est elle qui constitue l'œuvre d'art :
car le vrai contenu de l'œuvre d'art, c'est sa forme.
L'important n'est pas qu'un roman *veuille dire*
quelque chose : c'est qu'il *soit* quelque chose, sans
s'occuper de rien signifier [1]. »

On dira que ces observations de Robbe-Grillet ne
contiennent rien de nouveau, que déjà Flaubert
voulait faire œuvre qui tienne par la seule force du
style, que tout étudiant des Lettres sait que la forme
est tout, etc. Il convient pourtant de reconnaître
que chez Robbe-Grillet la recherche des formes est
plus qu'un problème d'expression littéraire, qu'elle
constitue une métaphysique : car la fonction de
cette forme est non seulement de renvoyer à une
métaphysique implicite, mais encore et surtout, à
détruire la métaphysique. Il y a peu de romans dans
lesquels la composition soit si méditée, où la volonté
d'ordonner des rapports formels soit si manifeste.
Dans ce jeu des formes, dans cette tendance à créer
des rapports formels purs, c'est-à-dire non signifiants, dont le rôle est, au contraire, de désamorcer
les significations à mesure qu'elles surgissent, on
reconnaît l'aspect moderne du roman de Robbe-
Grillet. Aspect, par lequel il rejoint la peinture non
représentative qui, elle aussi, doit « être sans s'oc-

1. « Entretien » (*L'Express*, 8 octobre 1959).

cuper de rien signifier ». Le tableau non représentatif est celui où ne subsistent ni idée ni symbole,
celui qui *est* par la force de ce qu'il a d'irréductible.
Le roman de Robbe-Grillet tend vers une pureté,
somme toute, analogue. Dans cette perspective, le
roman idéal sera, en effet, celui où l'auteur aura
réussi à ne rien dire.

Nous avons avancé que le roman de Robbe-Grillet
était réaliste et nous persistons à le croire. Mais il
s'agit d'un réalisme propre à la littérature moderne,
d'un *réalisme acritique*. Les romans réalistes du
xixe siècle sont non seulement une représentation
du monde au sein duquel ils ont été créés, ils sont
aussi, et même à un degré très important, des repré-
sentations critiques de ce monde. Stendhal, Balzac,
Flaubert ont des attitudes historiques très précises
à l'égard de la société qu'ils décrivent. On sait, également, quelles sont les préférences, quelle est la critique des écrivains comme Sartre, Malraux, Camus.
Ces romanciers ne se sont pas limités à une représentation « neutre » du monde; ils ont fait savoir
clairement ce qu'ils en pensaient, bien plus, chacun
de ces romanciers a pu concevoir une image
héroïque de l'homme.

Ce qui est frappant dans le roman de Robbe-
Grillet, c'est la distance, le détachement du romancier par rapport au monde qu'il décrit. Il est aisé de
voir un lien profond entre ce roman du regard, et
l'attitude contemplative devant le monde. Personnages et objets sont privés d'épaisseur, de qualités et
de substances. Il y a pourtant une qualité que tous
ces personnages ont en commun : la faculté d'éprouver l'absence et le vide. L'absence dans les romans
de Robbe-Grillet est le seul élément qui prenne
figure de réalité. Et c'est pour imposer cette image
du vide, c'est pour lui donner une représentation

concrète, que le roman de Robbe-Grillet tend à schématiser et à systématiser cette expérience du vide. L'aspect formaliste de ce roman est dû à cette volonté de sauvegarder le vide au cœur du monde.

BIBLIOGRAPHIE

ARON, Raymond : *Introduction à la philosophie de l'histoire*, Paris, Gallimard, 1938.

AUDRY, Colette : « La Caméra d'Alain Robbe-Grillet » (*La Revue des Lettres modernes*, été 1958, nos 36-38).

AUERBACH, Erich : *Mimesis*, New York, Doubleday Anchor Books, 1953.

BACHELARD, Gaston : *Le Matérialisme rationnel*, Paris, Presses Universitaires de France, 1953.

BACHELARD, Gaston : *La Poétique de l'espace*, Paris, Presses Universitaires de France, 1957.

BACHELARD, Gaston : *La Poétique de la rêverie*, Paris, Presses Universitaires de France, 1961.

BACHELARD, Gaston : *La Terre et les rêveries du repos*, Paris, Librairie José Corti, 1948.

BALZAC, Honoré de : *Le Père Goriot*, Paris, Garnier Frères, 1950.

BARNES, Hazel E. : « The ins and outs of Alain Robbe-Grillet » (*Chicago Review*, Winter-Spring, 1962, vol. XV, no 3).

BARNETT, Lincoln : *Einstein et l'univers*, Paris, Gallimard, 1951.

BARTHES, Roland : « Littérature littérale » (*Critique*, septembre-octobre 1955).

BARTHES, Roland : « Littérature objective » (*Critique*, août 1954).

BAZIN, André : *Qu'est-ce que le cinéma?* Paris, Cerf, 1958.

BECKETT, Samuel : *L'Innommable*, Paris, Les Éditions de Minuit, 1953.

BECKETT, Samuel : *Molloy*, Paris, Les Éditions de Minuit, 1951.

BELL, Daniel : « L'Éclipse de la distance » (*Arguments*, 3e et 4e trimestre 1962).

BERGER, Yves : « Dans le labyrinthe » (*La Nouvelle Revue Française*, janvier 1960).

BLANCHOT, Maurice : *Le Livre à venir*, Paris, Gallimard, 1959.

BLANCHOT, Maurice : *La Part du feu*, Paris, Gallimard, 1949.

BLANCHOT, Maurice : *Thomas l'obscur*, nouvelle version, Paris, Gallimard, 1950.

BLONDEL, Charles : *Introduction à la psychologie collective*, Paris, Armand Colin, 1952.

BONNEFOY, Yves : *L'Improbable*, Paris, Mercure de France, 1959.

BOURIN, André : « Techniciens du roman » (*Les Nouvelles littéraires*, 22 janvier 1959).

BRÉE, Germaine : « New Blinds of old » (*Yale French Studies*, Summer 1959, no 24).

BRENNER, Jacques : « Entretien avec Robbe-Grillet » (*Arts*, 20-26 mars 1953).

BRETON, André : *Manifestes du surréalisme*, Paris, Gallimard, 1963.

BRU, Charles-Pierre : *Esthétique de l'abstraction*, Paris, Presses Universitaires de France, 1955.

BUTOR, Michel : Dans « Révolution dans le roman? » (*Le Figaro littéraire*, 29 mars 1958).

CAMUS, Albert : *L'Étranger*, Paris, Gallimard, 1957.

CAMUS, Albert : *Le Mythe de Sisyphe*, Paris, Gallimard, 1942.

CARLIER, Jean : « Interview de Robbe-Grillet » (*Combat*, 6 avril 1953).

CARTA, Jean : « L'Humanisme commence au langage » (*Esprit*, juin 1960).

CHAPSAL, Madeleine : « Le Jeune Roman » (*L'Express*, 12 janvier 1961).

CHARBONNIER, Georges : *Le Monologue du peintre*, Paris, Julliard, 1959.

CLAUDEL, Paul : *Positions et propositions*, Paris, Gallimard, 1928.

DESTOUCHES, Jean-Louis : *Physique moderne et philosophie*, Paris, Hermann et Cie, 1939.

DORT, Bernard : « Épreuves du roman : le blanc et le noir » (*Cahiers du Sud*, août 1955, n° 330).

DURAND, Philippe : « Cinéma et roman » (*La Revue des Lettres modernes*, été 1958, n°s 36-38).

FAULKNER, William : *Le Bruit et la fureur*, Paris, Gallimard, 1949.

FLAUBERT, Gustave : *Trois contes*, Paris, Classiques Garnier, 1960.

GIDE, André : *Les Faux-monnayeurs*, Paris, Gallimard, 1925.

GOLDMANN, Lucien : « Les Deux Avant-gardes » (*Médiations*, hiver 1961-1962).

HAHN, Bruno : « Plan du *Labyrinthe* de Robbe-Grillet » (*Les Temps modernes*, juillet 1960).

HEGEL, G. F. W. : *Sämtliche Werke, Vorlesungen über die Philosophie der Religion*, Stuttgart, 1928, vol. XV.

HEIDEGGER, Martin : *Approche de Hölderlin*, Paris, Gallimard, 1962.

HEIDEGGER, Martin : *Qu'est-ce que la métaphysique?* Paris, Gallimard, 1951.

HEISENBERG, Werner : *La Nature dans la physique contemporaine*, Paris, Gallimard, 1962.

HOWLETT, Jacques : « Notes sur l'objet dans le roman » (*Esprit*, juillet-août 1958).

HUSSERL, Edmond : *Idées*, traduction Ricœur, Paris, Gallimard, 1949.

HUSSERL, Edmond : *Méditations cartésiennes*, Paris, Librairie Philosophique, J. Vrin, 1953.

HUYGHE, René : *Dialogue avec le visible*, Paris, Flammarion, 1955.

HYPPOLITE, Jean : « Du bergsonisme à l'existentialisme », cité par A. Cuvillier, *Anthologie des philosophes français contemporains*, Paris, Presses Universitaires de France, 1962.

HYPPOLITE, Jean : « Existentialisme et dialectique dans la philosophie de Merleau-Ponty » (*Les Temps modernes*, nᵒˢ 184-185, numéro spécial).

HYTIER, Jean : *Les Romans de l'individu*, Paris, Les Arts et le Livre, 1928.

IONESCO, Eugène : *Théâtre*, Paris, Gallimard, 1954.

JAMES, Henry : *Les Dépouilles de Poynton*, Paris, Calmann-Lévy, 1954.

JOYCE, James : *Ulysse*, Paris, Gallimard, 1948.

JUNG, C. G.: *Types psychologiques*, Genève, Librairie de l'Université, 1950.

KAFKA, Franz : *Le Procès*, Paris, Gallimard, 1957.

LABARTHE, A.-S. : « Entretien avec Robbe-Grillet » (*Cahiers du cinéma*, nᵒ 123, septembre 1961).

LAUTRÉAMONT, Le comte de : *Les Chants de Maldoror*, Paris, Le Livre club du Libraire, 1958.

LUKACS, Georges : *Existentialisme ou marxisme*, Paris, éd. Nagel, 1961.

LUKACS, Georges : *La Signification présente du réalisme critique*, Paris, Gallimard, 1960.

MAGNY, Olivier de : « Panorama d'une nouvelle littérature romanesque » (*Esprit*, juillet-août 1958).

MERLEAU-PONTY, Maurice : *Phénoménologie de la perception*, Paris, Gallimard, 1945.

MERLEAU-PONTY, Maurice : *Sens et non-sens*, Paris, éd. Nagel, 1948.

MERLEAU-PONTY, Maurice : *Signes*, Paris, Gallimard, 1960.

MORIN, Edgar : *Le Cinéma ou l'homme imaginaire*, Paris, Les Éditions de Minuit, 1956.

MORRISSETTE, Bruce : « Clefs pour *Les Gommes* », dans *Les Gommes*, par Alain Robbe-Grillet, suivi de « Clefs pour *Les Gommes* », Paris, Collection 10. 18, 1962.

MORRISSETTE, Bruce : « En relisant Robbe-Grillet » (*Critique*, juillet 1959).

MORRISSETTE, Bruce : *Les Romans de Robbe-Grillet*, Paris, Les Éditions de Minuit, 1963.

MUSIL, Robert : *L'Homme sans qualités*, Paris, éd. du Seuil, 1961.

NADEAU, Maurice : « Le Nouveau Roman » (*Critique*, août-septembre 1957).

NADEAU, Maurice : *Histoire du surréalisme*, Paris, éd. du Seuil, 1945.

NERVAL, Gérard de : *Œuvres*, Paris, Bibliothèque de la Pléiade, 1960.

PHILIP, André : « Civilisation technicienne et crise politique » (*Arguments*, 3e et 4e trimestre 1962).

PINGAUD, Bernard : *Écrivains d'aujourd'hui*, Paris, Grasset, 1960.

PINGAUD, Bernard : « Lecture de *La Jalousie* » (*Les Lettres nouvelles*, juin 1957, n⁰ 50).

PONGE, Francis : *Le Parti pris des choses*, Paris, Gallimard, 1942.

PROUST, Marcel : *A la recherche du temps perdu*, Paris, Bibliothèque de la Pléiade, 1954.

RACINE, Jean : *Athalie, Iphigénie, La Thébaïde*.

RAINOIRD, Manuel : « *Les Gommes* d'Alain Robbe-Grillet » (*La Nouvelle Revue Française*, juin 1953).

RESNAIS, Alain : « Interview d'Alain Resnais », « Un cinéaste stoïcien » (*Esprit*, juin 1960).

RENÉVILLE, A. Rolland de : *Rimbaud le voyant*, Paris, éd. Au Sans Pareil, 1929.

RIVETTE, J. : « Entretien avec Robbe-Grillet » (*Cahiers du cinéma*, n° 123, septembre 1961).

ROBBE-GRILLET, Alain : « L'acteur peut devenir une sorte de personnage mythique » (*Le Monde*, 13 août 1960).

ROBBE-GRILLET, Alain : *L'Année dernière à Marienbad*, Paris, Les Éditions de Minuit, 1961.

ROBBE-GRILLET, Alain : Dans « Révolution dans le roman? » (*Le Figaro littéraire*, 29 mars 1958).

ROBBE-GRILLET, Alain : *Dans le labyrinthe*, Paris, Les Éditions de Minuit, 1959.

ROBBE-GRILLET, Alain : « Entretien » (*L'Express*, 8 octobre 1959).

ROBBE-GRILLET, Alain : « Entretien » avec A.-S. Labarthe et J. Rivette (*Cahiers du cinéma*, n° 123, septembre 1961).

ROBBE-GRILLET, Alain : *Les Gommes*, Paris, Les Éditions de Minuit, 1953.

ROBBE-GRILLET, Alain : *La Jalousie*, Paris, Les Éditions de Minuit, 1957.

ROBBE-GRILLET, Alain : Dans « Le Jeune Roman », par M. Chapsal (*L'Express*, 12 janvier 1961).

ROBBE-GRILLET, Alain : « Nature, humanisme, tragédie » (*La Nouvelle Revue Française*, octobre 1958).

ROBBE-GRILLET, Alain : « Notes sur la localisation et les déplacements du point de vue dans la description romanesque » (*La Revue des Lettres modernes*, n°s 36-38, été 1958).

ROBBE-GRILLET, Alain : « Le " Nouveau Roman " » (*La Revue de Paris*, septembre 1961).

ROBBE-GRILLET, Alain : Dans « Techniciens du roman », par André Bourin (*Les Nouvelles littéraires*, 22 janvier 1959).

ROBBE-GRILLET, Alain : « Une voie pour le roman futur » (*La Nouvelle Revue Française*, juillet 1956).

ROBBE-GRILLET, Alain : *Le Voyeur*, Paris, Les Éditions de Minuit, 1955.

SARRAUTE, Nathalie : *L'Ère du soupçon*, Paris, Gallimard, 1956.

SARTRE, Jean-Paul : *L'Être et le néant*, Paris, Gallimard, 1943.

SARTRE, Jean-Paul : *L'Imaginaire*, Paris, Gallimard, 1940.

SARTRE, Jean-Paul : *La Nausée*, Paris, Gallimard, 1962.

SARTRE, Jean-Paul : *Situations*, *I*, Paris, Gallimard, 1947.

SARTRE, Jean-Paul : *Situations*, *II*, Paris, Gallimard, 1948.

SARTRE, Jean-Paul : *Le Sursis*, Paris, Gallimard, 1945.

SCHMIDT, Albert-Marie : *Maupassant par lui-même*, Paris, éd. du Seuil, 1962.

STENDHAL : *Le Rouge et le noir*, Paris, Classiques Garnier, 1950.

STOLZFUS, Ben F. : « *Le Voyeur* by Alain Robbe-Grillet » (*PMLA*, September 1962).

TAVERNIER, René : « Problème du roman » (*Confluences*, nos 21-24, 1943).

VAILLAND, Roger : « Entretien avec Alain Célérier » (*Combat*, 15 février 1963).

VALÉRY, Paul : *Monsieur Teste*, Paris, Gallimard, 1946.

VALÉRY, Paul : *Variété*, I, Paris, Bibliothèque de la Pléiade, 1957.

WEIL, Simone : *La Pesanteur et la grâce*, Paris, Plon, 1947.

ZOLA, Émile : *L'Assommoir*, Paris, Le Livre de Poche, 1962.

LE CHEMIN

nrf

Volumes publiés

Cet ouvrage
a été achevé d'imprimer
sur les presses de l'Imprimerie Floch
à Mayenne le 12 novembre 1964.
Dépôt légal : 4ᵉ trimestre 1964.
Nº d'édition : 10630.
(6162)